VERSE

LA DOUBLE ASTROLOGIE :

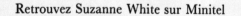

Retrouvez Suzanne White sur Minitel

En tapant 3615
code SUZAN WHITE
vous pourrez consulter :
- Votre double astrologie
- Votre astrologie chinoise
- Votre double horoscope quotidien

VERSEAU

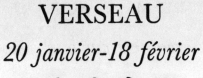

20 janvier-18 février

DU MÊME AUTEUR

L'ASTROLOGIE CHINOISE (Tchou)

Traduit de l'anglais par Simone Hilling

Maquette de couverture : Nicole Lhôte

SOMMAIRE

« A chances égales, il faut agir selon l'impulsion de son vrai caractère. »

George Sand, *Histoire de ma vie,* vol. 1

INTRODUCTION ET MODE D'EMPLOI

QU'EST-CE QUE LA DOUBLE ASTROLOGIE?

LA DOUBLE ASTROLOGIE est une toute nouvelle méthode d'étude de caractère. Nous le savons tous. Tout le monde a un caractère de base. Mais tout le monde ne se connaît pas à fond. Ainsi, ai-je créé, pour aider mes lecteurs et lectrices à approfondir leur connaissance de soi, LA DOUBLE ASTROLOGIE. Désormais, par le simple alliage de votre signe astrologique occidental (Bélier, Taureau, Scorpion, etc.) et de votre signe chinois (Dragon, Chien, Bœuf, etc.), vous allez pouvoir vous connaître davantage, savoir comment vous comporter dans les situations les plus épineuses, comment vaincre vos complexes et — *bref* — mieux vivre dans cette peau qui est la vôtre depuis la naissance.

SACHEZ AUSSI A QUI VOUS AVEZ AFFAIRE

Par cette méthode d'alliage des deux plus importantes astrologies du monde, vous allez aussi découvrir les mystères du caractère de vos proches. Votre patron vous boude? Peut-être est-il Scorpion/Bœuf, le boudeur par excellence du double zodiaque. Lisez donc toutes les pages qui le concernent en Double Astrologie. Offrez-lui le petit livre sur son signe. Peut-être verrez-vous un sourire sur ses lèvres dès lundi prochain...

Ou bien, est-ce que l'amour de votre vie vous empoisonne l'existence de « vannes » acerbes et de commentaires sarcastiques ? C'est possible alors que vous aimiez un beau Capricorne/Chien ou une coquine de Balance/Coq. Ces gens-là adorent vous épingler. Mais, une fois que vous connaîtrez LA DOUBLE ASTROLOGIE, vous verrez que ces mêmes personnes acceptent difficilement qu'on leur retourne le compliment. C'est un jeu ? Peut-être. Mais comme beaucoup de ces divertissements apparemment innocents, LA DOUBLE ASTROLOGIE est aussi bien une arme secrète qu'un outil psychologique redoutable ! Elle vous aidera à tout comprendre : les compatibilités et les divergences, les accords et les désaccords, les ruptures et les réconciliations. En effet, grâce à cette méthode révolutionnaire de caractérologie, vous courrez même le risque fatal de bientôt comprendre le comportement étrange de votre propre belle-mère !

LA DOUBLE ASTROLOGIE :
COMMENT ÇA MARCHE ?

Nous, les Occidentaux, comptons le temps en siècles de cent ans, eux-mêmes divisés en 12 mois. Chaque signe de notre zodiaque correspond à une période d'à peu près un mois et reflète des configurations mythiques et astrales. Nos signes astrologiques sont donc des signes *mensuels* avec des noms mythologiques et célestes.

Les Chinois n'ont pas calculé leur calendrier de la même façon. En Extrême-Orient le calendrier compte des cycles de 60 ans divisés en périodes de 12 années. Ces périodes se répètent 5 fois en 60 ans. Chaque année chinoise porte le nom d'un animal, possède son caractère propre et sa fonction dans le cycle. Chaque signe astrologique chinois correspond à une de ces années. Ainsi, les signes astrologiques chinois sont des signes *annuels* avec des noms d'animaux.

Ces deux systèmes vous semblent bien distincts l'un de l'autre. Je vous comprends. Il est vrai que *normalement*, les deux astrologies n'ont rien de commun. Mais, grâce à mon propre caractère de base, j'ai toujours considéré que souvent ce qui est dit *normal* est l'ennemi du novateur. Ainsi, dans mon petit laboratoire cérébral de novatrice têtue, par pur esprit de contradiction, j'ai voulu fusionner les deux astrologies. Et voilà que — *abracadabra* — j'ai trouvé LA DOUBLE ASTROLOGIE !

C'était si simple.

En concoctant ce nouveau mélange, où j'ai associé le signe occidental et le signe chinois, j'ai vu émerger les caractères précis de chacun de 144 signes nouveaux.

Simple oui. Mais il fallait y penser.

Maintenant, vous avez tout compris sur la marche à suivre : Prenez votre signe astrologique de tous les jours (Verseau, Gémeaux, Vierge, Sagittaire ou autre) que vous trouverez ci-dessous :

TABLE DE RÉFÉRENCE
DE L'ASTROLOGIE OCCIDENTALE

Une année astrologique occidentale comporte douze signes. Chaque signe dure environ un mois. Ils apparaissent dans l'ordre suivant :

1)	BÉLIER	21 mars au 20 avril
2)	TAUREAU	21 avril au 21 mai
3)	GÉMEAUX	22 mai au 21 juin
4)	CANCER	22 juin au 23 juillet
5)	LION	24 juillet au 23 août
6)	VIERGE	24 août au 23 septembre
7)	BALANCE	24 septembre au 23 octobre
8)	SCORPION	24 octobre au 22 novembre
9)	SAGITTAIRE	23 novembre au 21 décembre
10)	CAPRICORNE	22 décembre au 20 janvier
11)	VERSEAU	21 janvier au 19 février
12)	POISSONS	20 février au 20 mars

Puis, allez à la recherche de votre signe astrologique chinois.

Mais avant de continuer... Halte !

Cherchez attentivement la période exacte de votre date de naissance sur le tableau des signes chinois. Les années chinoises commencent et se terminent plus tard que les nôtres. Ainsi chaque année le nouvel an tombe à une date différente ! Important : sur ce tableau, le premier jour du nouvel an et le dernier de la fin d'année sont *inclus* dans l'année astrologique.

TABLE DE RÉFÉRENCE
DE L'ASTROLOGIE CHINOISE

Année	Signe	Nouvel an	Fin d'année
1900	RAT	31/01/1900	18/02/1901
1901	BŒUF	19/02/1901	07/02/1902
1902	TIGRE	08/02/1902	28/01/1903
1903	CHAT	29/01/1903	15/02/1904
1904	DRAGON	16/02/1904	03/02/1905
1905	SERPENT	04/02/1905	24/01/1906
1906	CHEVAL	25/01/1906	12/02/1907
1907	CHÈVRE	13/02/1907	01/02/1908
1908	SINGE	02/02/1908	21/01/1909
1909	COQ	22/01/1909	09/02/1910
1910	CHIEN	10/02/1910	29/01/1911
1911	COCHON	30/01/1911	17/02/1912
1912	RAT	18/02/1912	05/02/1913
1913	BŒUF	06/02/1913	25/01/1914
1914	TIGRE	26/01/1914	13/02/1915
1915	CHAT	14/02/1915	02/02/1916
1916	DRAGON	03/02/1916	22/01/1917
1917	SERPENT	23/01/1917	10/02/1918
1918	CHEVAL	11/02/1918	31/01/1919
1919	CHÈVRE	01/02/1919	19/02/1920
1920	SINGE	20/02/1920	07/02/1921
1921	COQ	08/02/1921	27/01/1922
1922	CHIEN	28/01/1922	15/02/1923

Année	Signe	Nouvel an	Fin d'année
1923	COCHON	16/02/1923	04/02/1924
1924	RAT	05/02/1924	23/01/1925
1925	BŒUF	24/01/1925	12/02/1926
1926	TIGRE	13/02/1926	01/02/1927
1927	CHAT	02/02/1927	22/01/1928
1928	DRAGON	23/01/1928	09/02/1929
1929	SERPENT	10/02/1929	29/01/1930
1930	CHEVAL	30/01/1930	16/02/1931
1931	CHÈVRE	17/02/1931	05/02/1932
1932	SINGE	06/02/1932	25/01/1933
1933	COQ	26/01/1933	13/02/1934
1934	CHIEN	14/02/1934	03/02/1935
1935	COCHON	04/02/1935	23/01/1936
1936	RAT	24/01/1936	10/02/1937
1937	BŒUF	11/02/1937	30/01/1938
1938	TIGRE	31/01/1938	18/02/1939
1939	CHAT	19/02/1939	07/02/1940
1940	DRAGON	08/02/1940	26/01/1941
1941	SERPENT	27/01/1941	14/02/1942
1942	CHEVAL	15/02/1942	04/02/1943
1943	CHÈVRE	05/02/1943	24/01/1944
1944	SINGE	25/01/1944	12/02/1945
1945	COQ	13/02/1945	01/02/1946
1946	CHIEN	02/02/1946	21/01/1947
1947	COCHON	22/01/1947	09/02/1948
1948	RAT	10/02/1948	28/01/1949
1949	BŒUF	29/01/1949	16/02/1950
1950	TIGRE	17/02/1950	05/02/1951
1951	CHAT	06/02/1951	26/01/1952
1952	DRAGON	27/01/1952	13/02/1953
1953	SERPENT	14/02/1953	02/02/1954
1954	CHEVAL	03/02/1954	23/01/1955
1955	CHÈVRE	24/01/1955	11/02/1956
1956	SINGE	12/02/1956	30/01/1957
1957	COQ	31/01/1957	17/02/1958
1958	CHIEN	18/02/1958	07/02/1959
1959	COCHON	08/02/1959	27/01/1960
1960	RAT	28/01/1960	14/02/1961
1961	BŒUF	15/02/1961	04/02/1962

Année	Signe	Nouvel an	Fin d'année
1962	TIGRE	05/02/1962	24/01/1963
1963	CHAT	25/01/1963	12/02/1964
1964	DRAGON	13/02/1964	01/02/1965
1965	SERPENT	02/02/1965	20/01/1966
1966	CHEVAL	21/01/1966	08/02/1967
1967	CHÈVRE	09/02/1967	29/01/1968
1968	SINGE	30/01/1968	16/02/1969
1969	COQ	17/02/1969	05/02/1970
1970	CHIEN	06/02/1970	26/01/1971
1971	COCHON	27/01/1971	14/02/1972
1972	RAT	15/02/1972	02/02/1973
1973	BŒUF	03/02/1973	22/01/1974
1974	TIGRE	23/01/1974	10/02/1975
1975	CHAT	11/02/1975	30/01/1976
1976	DRAGON	31/01/1976	17/02/1977
1977	SERPENT	18/02/1977	06/02/1978
1978	CHEVAL	07/02/1978	27/01/1979
1979	CHÈVRE	28/01/1979	15/02/1980
1980	SINGE	16/02/1980	04/02/1981
1981	COQ	05/02/1981	24/01/1982
1982	CHIEN	25/01/1982	12/02/1983
1983	COCHON	13/02/1983	01/02/1984
1984	RAT	02/02/1984	19/02/1985
1985	BŒUF	20/02/1985	08/02/1986
1986	TIGRE	09/02/1986	28/01/1987
1987	CHAT	29/01/1987	16/02/1988
1988	DRAGON	17/02/1988	05/02/1989
1989	SERPENT	06/02/1989	26/01/1990
1990	CHEVAL	27/01/1990	14/02/1991
1991	CHÈVRE	15/02/1991	03/02/1992
1992	SINGE	04/02/1992	22/01/1993
1993	COQ	23/01/1993	09/02/1994
1994	CHIEN	10/02/1994	30/01/1995
1995	COCHON	31/01/1995	18/02/1996
1996	RAT	19/02/1996	06/02/1997
1997	BŒUF	07/02/1997	27/01/1998
1998	TIGRE	28/01/1998	15/02/1999
1999	CHAT	16/02/1999	04/02/2000
2000	DRAGON	05/02/1999	23/01/2001

Vous voilà maintenant muni de vos deux signes. Regardez comment ça marche : une Balance née dans une année de Chien sera du double signe Balance/Chien comme Brigitte Bardot. Un Scorpion né dans une année de Cochon portera le double signe Scorpion/Cochon comme Alain Delon et tout comme la belle Marie-Antoinette. Yves Saint-Laurent est né Lion/Rat. Marilyn Monroe était Gémeaux/Tigre et Elvis Presley, lui, était Capricorne/Cochon — le pauvre! C'est un double signe si dur à vivre.

A vous maintenant de marier vos deux signes. Allez-y. Mettez-les ensemble, délayez un peu, puis allez à la découverte du vrai VOUS.

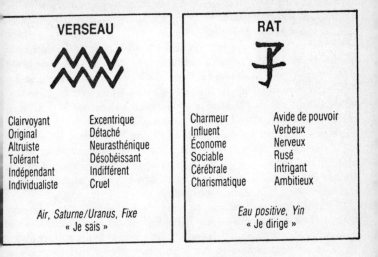

VERSEAU		RAT	
Clairvoyant	Excentrique	Charmeur	Avide de pouvoir
Original	Détaché	Influent	Verbeux
Altruiste	Neurasthénique	Économe	Nerveux
Tolérant	Désobéissant	Sociable	Rusé
Indépendant	Indifférent	Cérébral	Intrigant
Individualiste	Cruel	Charismatique	Ambitieux

Air, Saturne/Uranus, Fixe
« Je sais »

Eau positive, Yin
« Je dirige »

En haut et en avant! telle devrait être la devise de ce sujet enclin à l'idéalisme et à l'expérience. Le Verseau individualiste marié au Rat agressif et charmant nous donne un être doué d'une audace et d'un magnétisme personnel immenses. D'une part, le Verseau né dans une année du Rat cherche à accumuler des biens matériels. De l'autre, ce sujet se soucie moins des possessions tangibles que je ne me soucie des rites de fertilité des Esquimaux. C'est un bohème légèrement teinté de bourgeois. Un hippy sophistiqué. Il veut être libre et indépendant. Mais il ne supporte pas d'être seul. Il voudrait chevaucher un étalon sur la plage dans la tempête, mais il n'aime pas plus que ça les chevaux. Nature contradictoire pleine de bonnes intentions, le Verseau/Rat, qui parle sans discontinuer et écoute rarement, avance dans la vie par une succession de galipettes et de culbutes.

Les Verseau veulent être différents. Ils sont visionnaires et tolérants. Les Rats ont beaucoup de séduction personnelle et aspirent au pouvoir. Bien entendu, dans ce duo, le Rat est neutralisé par le Verseau altruiste qui lui intime de lâcher les leviers du pouvoir jusqu'au temps où l'homme aimera son frère comme lui-même et aura renoncé à faire la guerre. L'effet est stupéfiant. Ce sujet rayonne d'une grande force intérieure. Regardez-le essayer de saisir les rênes dans une situation donnée. Il peut conclure un marché, même un tantinet tortueux. Puis, au dernier moment, il le dénonce. Sous l'influence du Verseau, la cupidité du Rat se dégonfle comme une baudruche. Bye-bye, roublardise. Bonjour amour et liberté.

Le Verseau/Rat, qui voudrait voir à travers les murs pour découvrir un monde meilleur, s'engagera fréquemment dans la quête spirituelle de la vérité et de l'équilibre. Le Verseau est avant tout un penseur. Le Rat est cérébral également. Les deux signes sont légèrement névrosés. Aussi, plutôt que de chercher la stabilité sur les sentiers battus, ils se laissent souvent attirer par le cosmique, l'extrasensoriel, et les méthodes surnaturelles de contrôle de l'esprit. Les Verseau/Rats sont tout le temps en train de suivre des cours sur les perceptions extrasensorielles, le hatha yoga, les mudras et le zen. Ils veulent tenir en respect le bourgeois qui vit en eux. Ils aspirent à trouver la paix intérieure par l'illumination spirituelle.

Quelque degré qu'atteigne ce sujet dans son évolution parapsychique, il est et demeure un Rat. Et le Rat adhère étroitement à la vie bourgeoise. Les Rats sont thésauriseurs et mus par le désir du pouvoir. Le Verseau peut obliger le Rat à séjourner près d'un torrent d'eau pure, mais il ne peut pas le contraindre à boire. Ce désaccord fondamental accroît encore l'insécurité intérieure de notre natif. Il prend des décisions inconsidérées, devient maussade et distant. Les émotions ne sont pas son domaine préféré, alors, comment peut-il exprimer ses regrets et ses excuses? Comment peut-il s'adapter au train-train quotidien, avec ses exigences pressantes et inhumaines. Pourquoi la vie est-elle si ridiculement ennuyeuse?

Eh bien, comme ce marginal sera le premier à vous le dire, ces questions sont sans réponse. L'ennui, c'est que les gens ne sont jamais à la hauteur des nobles exigences du Verseau/Rat. L'échec des efforts collectifs le déçoit, et l'égoïsme de ses intimes le blesse. Et il arrive qu'il se surprenne lui-même en défaut. Alors, il est réellement désolé et désorienté. A quel moment s'est-il trompé?

Je donne souvent le conseil de « coller son derrière à sa chaise », et il est ici plus à propos que jamais. Les Verseau/Rats doivent apprendre à ralentir, à se diriger par l'intuition et non toujours par la pensée, à rester tranquilles suffisamment longtemps pour acquérir un peu de plomb dans la tête. Ils ne doivent pas faire joujou avec les stupéfiants ou les sectes bidon à moins de n'avoir une raison concrète et terre à terre. S'embarquer pour les espaces interplanétaires sans ceinture de sécurité peut être fort dangereux.

AMOUR

Comme le Verseau/Rat allie la fantaisie au charisme et la névrose à la nervosité, vous imaginez facilement la trouble complexité de ses émotions. Ce sujet sera à la fois séduisant et vulnérable. Sa séduction se voit. Sa vulnérabilité se cache.

Ses besoins sentimentaux seront le mieux satisfaits par un partenaire solide et respectable, qui les maintiendra fermement les pieds sur terre. Comme de juste, les bons bourgeois n'excitent guère cet enragé métaphysicien. C'est un dilemme.

Si vous aimez un Verseau/Rat, ne le mettez pas en cage, mais mettez-le à l'attache. Cela pourra paraître farfelu, mais je compare le Verseau/Rat aux volubilis, qui, pour s'épanouir, ont besoin de s'enraciner profondément dans la terre tout en ayant la tête exposée au plus brillant soleil. Voilà comme il faut traiter votre Verseau/Rat. Donnez-lui le sentiment qu'il est libre comme une Montgolfière, mais ne lâchez pas les amarres, et ne lui laissez pas faire de bêtises. Votre Verseau/Rat ne vous en aimera que mieux.

COMPATIBILITÉS

VERSEAU/RAT : Les Bœufs aiment votre compagnie. Votre rapacité et votre rapidité les inspirent. Choisissez-en un des Gémeaux, de la Balance ou du Sagittaire si vous voulez être certain d'être compatibles. Les mêmes signes vous envoient leurs Dragons sur un plat d'argent. Cette fois, c'est vous qui admirez. Les Singes du Bélier, de la Balance et du Sagittaire s'accordent à votre style de vie. Eux aussi vous apportent la joie — et de bons conseils en plus. Ne vous laissez pas détourner du droit chemin par un Taureau, Lion ou Scorpion/Cheval, et fuyez le Lion/Chat et le Scorpion/Coq.

FAMILLE ET FOYER

Bien qu'erratique lorsqu'il est lâché seul dans le monde, le Verseau/Rat n'exhibe pas cette excentricité chez lui. Dans l'intimité de sa demeure, le Verseau/Rat se crée un décor de bon goût, simple et d'un dépouillement qui rappelle son penchant pour la pensée orientale. Trop de richesse matérielle excite sa nervosité. S'il est voyant et tapageur, ce sera dans sa tenue vestimentaire. A la maison, tout sera toujours simple et élégant.

Ce sujet est un parent remarquable. Vous comprenez, les enfants le rattachent à la terre. Le parent du Verseau/Rat leur est reconnaissant de cette sécurité et à son tour remplit son rôle parental du mieux possible. Le Verseau/Rat participe beaucoup aux activités et aux émotions de ses enfants. Il discute tout avec eux dans les moindres détails, et leur donne une noble conception du monde bien avant qu'ils soient en âge de quitter le nid.

L'enfant du Verseau/Rat est, avant tout, intéressant. Il sera peut-être un tantinet casse-cou et sans aucun doute attiré par l'insolite. Je le répète, le rôle de ses intimes (et dans ce cas de ses parents) est de dégager les aspects terrestres de ce sujet. Il ne faudra jamais permettre que son attirance pour le surnaturel prenne le pas sur son attachement à la famille. Il faut solidement attacher à son piquet cet enfant intelligent, mais ne jamais lui mettre d'entraves.

PROFESSION

Bien entendu, comme pour tous les Verseau/Rats qui se débattent au milieu des émotions de la vie, le travail c'est la santé. Si ce Rat quelque peu grognon et irrépressible est capable de consacrer toute son attention à une passion professionnelle, il pourra réaliser des projets d'une ingéniosité certaine. Le Verseau/Rat est si perceptif, si proche de la folie et de la pensée supranaturelle que s'il s'applique à des réalisations terrestres, il est imbattable. Mais attention à son côté bizarre. Ce sujet peut perdre les pédales en un clin d'œil si on lui lâche la bride sur le cou.

Le Verseau/Rat est plus créatif qu'autoritaire. Il ou elle essayera volontiers de diriger un bureau, un magasin, etc. Mais le résultat ne sera jamais spectaculaire — compétent, oui, fabuleux, non. Ces remarques demeurent vraies s'il est employé. La force de ce sujet réside dans son individualité et dans son approche personnelle de problèmes de format cinémascope au moins. Pointer au bureau ou à l'usine ne lui dira rien.

Carrières possibles pour les Verseau/Rats : politicien, artiste (de toutes les sortes), journaliste, génie, dessinateur.

Verseau/Rats célèbres : Wolfgang Amadeus Mozart, Jules Verne, Adlai Stevenson, Alan Alda, John Belushi, Louis Renault, Jean-Jacques Servan-Schreiber.

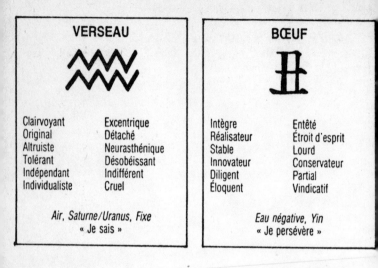

VERSEAU	
Clairvoyant	Excentrique
Original	Détaché
Altruiste	Neurasthénique
Tolérant	Désobéissant
Indépendant	Indifférent
Individualiste	Cruel

Air, Saturne/Uranus, Fixe
« Je sais »

BŒUF	
Intègre	Entêté
Réalisateur	Étroit d'esprit
Stable	Lourd
Innovateur	Conservateur
Diligent	Partial
Éloquent	Vindicatif

Eau négative, Yin
« Je persévère »

Tyran résolu et affectueux, le Verseau né dans une année du Bœuf passera sa vie à lutter et batailler contre son non-conformisme. Les Bœufs, comme vous le savez, pensent toujours qu'ils arriveront au bonheur en se retirant de la fiévreuse activité du monde. Les Bœufs veulent qu'on les laisse tranquilles, quelque part à la campagne. Le Verseau est plus affable, ouvert, flexible, moins ermite que le Bœuf. Leur mariage peut être cahoteux.

Le Bœuf est en désaccord fondamental avec sa nature instable de Verseau. Et le Verseau ? Eh bien, il s'en soucie comme d'une guigne. Le Verseau est un imaginatif invétéré dont l'esprit est aussi fantastiquement élastique que celui du Bœuf est rigide. L'imperturbable Verseau, qui ne se perd jamais dans les émotions triviales, se voit soudain confronté à son entêtement et à ses préjugés. Résultat ? Maussaderie. Mauvaise humeur. Colère réprimée. Amertume. Apathie feinte à propos de tout et de tout le monde. L'image finale est celle d'une personne furieusement productive qui semble s'en moquer totalement. Point n'est besoin de creuser beaucoup pour mettre à nu cette attitude qui semble dire : « C'est à prendre ou à laisser. » Ce sujet ne peut dissimuler son caractère belliqueux.

Ce qui empêche ce sujet de mariner trop longtemps dans ses

humeurs acides, c'est son sens de l'humour aiguisé comme un rasoir. Le Verseau/Bœuf est un conteur éblouissant, un interprète stupéfiant, un compagnon hilarant. Il a une excellente mémoire des détails et peut retenir votre attention pendant des heures en vous parlant de son cousin de Tours qui fait du monocycle. Des histoires ordinairement ennuyeuses deviennent dans sa bouche des joyaux des Mille et Une Nuits. Lorsque l'éloquence du Bœuf rencontre l'originalité d'esprit du Verseau, il parle comme Schéhérazade.

Le Bœuf maintient le Verseau fermement attaché à la terre, et c'est tant mieux pour lui. Les Bœufs de toutes persuasions ont une éthique du travail très stricte. Les Verseau ont la nostalgie de la liberté et déambulent toute la vie en rêvant l'impossible. Ce sujet n'arrêtera jamais de travailler avant de s'écrouler d'épuisement. Pour le Verseau/ Bœuf, le travail, quelque ingrat ou routinier soit-il, représente le salut. Le travail empêche d'aller voler trop près du soleil.

Le Verseau/Bœuf ne se soucie nullement de l'approbation de la société. Il dédaigne les jugements portés par des gens que, de toute façon, il considère comme ses inférieurs. Ce sujet s'ouvre ses propres voies dans la vie par des méthodes lentes et sûres, faisant toujours fonctionner à fond l'esprit plein d'allant du Verseau, et ne lésinant jamais sur l'huile de coude. Bien entendu, la détermination brutale de ce sujet ne manque pas de provoquer des protestations. Mais, comme ses détracteurs ne sont presque jamais aussi laborieux et consciencieux que lui, ils doivent concéder la victoire au Verseau/Bœuf — bas les pattes tout le monde.

Malgré son penchant incroyable pour le travail, le Verseau/Bœuf vous surprendra par son côté farfelu. Le Verseau/Bœuf adore s'amuser. Il cuisine, décore et passe la nuit à tailler des arbres pour le plaisir des autres. Son côté autosacrificiel, bien qu'il ne le montre guère au-dehors, animera bien des soirées et remplira bien des cœurs d'allégresse. Le Verseau/Bœuf est doué d'une immense imagination pour les surprises et les cadeaux — imagination qui plus est généreuse.

AMOUR

Le Verseau/Bœuf a une vie privée difficile. Tout d'abord, étant Verseau, il a besoin d'être stimulé et s'ennuie facilement. Mais le Bœuf casanier relève bientôt la tête et dit : « Je veux m'établir. J'en ai assez de ta poursuite de la lucidité intellectuelle. Je veux un foyer. » Il a donc un foyer et peut-être même un enfant ou deux. Mais avant d'avoir eu le temps de faire « ouf », il n'a plus en tête que son éternel besoin de stimulation. Les hauts et les bas de sa vie amoureuse sont épiques. Et le Verseau/Bœuf n'en semble pas affecté outre mesure. Il peut se passer d'une vie sexuelle très active, et noie ses chagrins et ses regrets dans le travail.

Si vous êtes attiré par un de ces extraordinaires individus, vous devrez réaliser avant tout que, même si vous comptez beaucoup pour lui ou elle, vous ne compterez jamais autant que ses enfants ou son travail. Ce sujet est adonné à l'amour de sa famille et de son métier comme à une drogue. Le sexe et l'affection, la tendresse et la romance n'ont qu'une importance secondaire pour son bonheur. Il ou elle aura des liaisons et fera bien l'amour. Mais ces sujets ne sont pas sentimentaux. Ils détestent les billets doux et les roucoulements sirupeux et n'ont pas le temps de vous envoyer une carte à la Saint-Valentin.

COMPATIBILITÉS

VERSEAU/BŒUF : Vous êtes fou des Serpents. Leur style même vous rend malade de désir. Choisissez de préférence un Bélier, Gémeaux, Balance ou Sagittaire/Serpent. Ce sont eux qui ont le plus de chances de vous être fidèles. Les Gémeaux, Balance et Sagittaire/Coqs vous attirent également, par leur comportement franc et ouvert. Les Taureaux, Lion et Scorpion/Dragons mettent trop votre patience à l'épreuve. Les Taureau et Lion/Tigres ne vous disent rien. Les Lion et Scorpion/Chèvres ne valent rien pour vous. Et ne vous liez pas avec un Scorpion/Singe ou un Taureau/Cheval.

FAMILLE ET FOYER

La demeure du Verseau/Bœuf est très confortablement installée. Comme ces natifs sont traditionnalistes et aiment les arts, ils posséderont des objets de qualité dont ils prendront grand soin. Ils n'aiment pas l'épate, leur décor sera donc sobre mais accueillant. Ils auront peut-être cousu des louis d'or dans le velours vert du fauteuil, alors attention aux bosses que vous sentez sous vos fesses. Les Verseau/Bœufs sont avisés en matière d'argent, et savent conserver ce qu'ils gagnent. Il y a un monde entre gagner et dépenser. Leur devise en matière de finances : « Ce que tu as, garde-le. »

Les Verseau/Bœufs font des parents fabuleux. Ils savent permetre à leurs enfants de donner libre cours à leur fantaisie et à leur imagination, et pourtant, ils ont toujours les enfants les plus gentils et les mieux élevés du monde. Avant tout, les Verseau/Bœufs adorent la compagnie des petits. Et ceux-ci le leur rendent bien. Ces sujets savent instruire aussi bien qu'enchanter. Ils gâtent leurs rejetons mais les font obéir. Les Verseau/Bœufs ont un doigté proprement miraculeux pour manier les petits. Ce sujet aimant, attentif et tendre, qui est un parent inné, souffrirait beaucoup de ne pas avoir d'enfants.

L'enfant du Verseau/Bœuf semblera rêveur et idéaliste. Bien entendu, il ou elle sera loquace, mais seulement pour raconter une histoire. Sinon, cet enfant ne sera pas terriblement communicatif. Ce gamin a besoin d'une grande sécurité. Il supporte mal les brusques changements de personnel à la maison. Il adorera le spectacle et aimera qu'on l'emmène au théâtre. N'essayez pas de le forcer à s'intégrer à un groupe. Ces sujets ne fonctionnent pas bien à l'intérieur d'une hiérarchie.

PROFESSION

Les Verseau/Bœufs sont très manuels. Ils peuvent réparer n'importe quoi, construire n'importe quoi, et ils sont inventifs en prime. Comme ce sujet est également pratique, il est peu de tâches qu'il ou elle ne puisse entreprendre et réussir. Le Verseau/Bœuf est méticuleux et consciencieux. Il ou elle sera attiré par les hauts salaires et capable d'adhérer à une routine. Ces sujets ont aussi une conscience sociale. Ils finissent souvent pas travailler à l'amélioration de l'humanité dans des organisations ou des fondations internationales.

Le patron du Verseau/Bœuf n'acceptera pas d'être contredit. Vous travaillez pour lui. C'est lui qui décide. Vous êtes payé, et vous êtes prié de garder vos commentaires pour vous. S'il vous aime, vous avez un ami (et un banquier) pour la vie. Mais s'il ne vous aime pas, faites votre valise. Vous n'arriverez jamais à percer le rideau de fer de son mépris. Employé, ce sujet s'acquittera de ses devoirs avec une compétence et une persévérance exceptionnelles. Il sera lent. Et il se souciera comme d'une guigne de ce que vous pensez. Mais le travail sera fait — et mieux que si vous l'aviez fait vous-même. Si vous avez engagé un de ces sujets, laissez-lui les coudées franches dans son travail. Vous ne pouvez pas lui dire comment s'y prendre. Il sait toujours tout mieux que personne.

Carrières convenant aux Verseau/Bœufs : fermier, constructeur naval, menuisier, kinésithérapeute, réparateur de télévision, professeur, conseiller, activiste, puéricultrice.

Verseau/Bœufs célèbres : Charles Lindbergh, Jack Lemmon, Vanessa Redgrave.

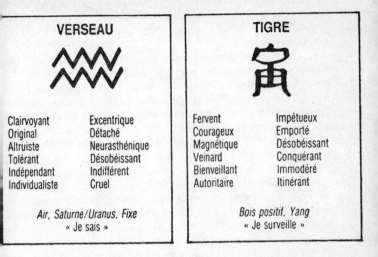

Ce Tigre, à la personnalité lucide et mouvante, est plus spéculatif que ceux que nous connaissons déjà. Le Tigre fait prendre la gelée mentale flottante qui caractérise le Verseau. Cette combinaison de signe donne au monde beaucoup d'innovateurs. Les Verseau/Tigres sont fous de méthodes modernes. Ils inventent sans cesse de nouvelles façon d'exécuter d'anciennes tâches. Ils s'occupent de tout ce qui est dernier cri, que ce soit le dernier ordinateur programmé pour dresser les chiens ou d'obscures techniques de relaxation mises au point par les astronautes dans leur combinaison antigravité.

Les Verseau/Tigres aiment rester jeunes. C'est pourquoi il est rare qu'ils se marient et fondent une famille dans leur jeunesse. Non que le Verseau/Tigre soit particulièrement coureur de jupons, mais ses aventures sexuelles sont éclectiques. Il est erratique et aime le changement pour le changement. Comptez sur lui pour changer de domicile chaque fois qu'il lui en prend envie. Emmenez-le en vacances dans les Alpes, et il sera peut-être parti quand vous vous réveillerez le lendemain. Les Verseau/Tigres détestent se sentir gênés aux entournures — même pour leur plaisir ! La spontanéité est leur jouet favori.

Ce sujet est impétueux. Il ou elle gaspille beaucoup trop d'énergie à se ruer de-ci, de-là, dans trop de directions à la fois. Et les résultats le déçoivent souvent. Il est épuisé. Et où est le butin ? Qui s'est attribué la réussite ? Ce sujet doit apprendre à ralentir et à considérer les alternatives à la course éperdue. Il devrait moins courir et réfléchir davantage. Sinon, il passera le plus clair de sa vie dans un état de trépidation désordonnée.

Comme les Verseau/Tigres ne sont pas terriblement équilibrés, ils se laissent parfois influencer par des marginaux excentriques. Ils peuvent adhérer à des sectes extravagantes, ou s'engager dans des activités peu recommandables rien que pour le plaisir. Il faut absolument que ces natifs cultivent des amis plus sages qu'eux, qui les guideront et sauront tirer le meilleur parti de leur génie. Naturellement, le Verseau/Tigre se rebelle parfois contre la sagesse et la mesure. Ça le démange de faire quelque chose de totalement différent, de sortir des sentiers battus pour sauter sur le trottoir roulant de l'excitation, et fomenter une rafle générale sur la matière grise. Rester normal et agir sensément, telle est la croix que ce sujet doit apprendre à porter avec dignité. Sinon, il ou elle ne pourra rien produire d'utile au monde tel qu'il existe. La marginalité ne paie pas.

Au milieu de tout ce tumulte, le Verseau/Tigre parvient à conserver des idéaux élevés. Il ou elle croit, non *sait* ce qui est bon et bien pour ceux qu'il aime. Ce Tigre aspire à aider sa famille et à réconforter ses amis. Mais souvent, il n'en a pas les moyens pratiques. Les Verseau/Tigres ne sont pas égoïstes à proprement parler. Ils ont souvent des projets complexes qu'ils exécutent avec efficacité. Mais lesdits projets leur prennent tout leur temps, et comme il faut bien que quelque chose ou quelqu'un cède, ce sont la famille et les amis qui pâtissent. Il y a un certain génie chez le Verseau/Tigre, mais qu'il faut soigner et dorloter. Le Verseau/Tigre est son meilleur agent de publicité. Vous n'êtes pas sûr que le Verseau/Tigre dont vous venez de faire la connaissance est un être merveilleux ? Posez-lui la question. Il se fera un plaisir de vous éclairer.

AMOUR

Pas de passions durables pour ce sujet. Vous le verrez peut-être s'enflammer pour une personne pendant quelques mois ou même quelques années. Tant que les rapports amoureux gardent tant soit peu le caractère de la lune de miel, les Verseau/Tigres s'enchantent de la romance. Mais ne leur demandez pas de se mettre la corde au cou. Ne faites jamais allusion au mariage. Evitez les vitrines de bijoutiers et prenez les petites rues pour ne pas passer devant mairies, églises ou temples. Il ou elle se marie rarement, mais si cela se produit, cela ne dure généralement pas plus de trois semaines.

Si vous aimez une de ces éblouissantes créatures, n'espérez pas des rapports éternels. Les Verseau/Tigres sont très indépendants. Ils barbotent de mare en mare, juste pour tâter la température de l'eau. Votre cœur sera vite brisé si vous mettez l'espoir à la place de la raison. Soyez bon public et ne leur demandez jamais de faire une fin. On ne peut les emprisonner.

COMPATIBILITÉS

VERSEAU/TIGRE : Vous êtes toujours d'accord avec les Chiens. Il existe entre vous complicité et sympathie mutuelles. Essayez de choisir votre Chien parmi les natifs du Bélier, des Gémeaux, de la Balance ou du Sagittaire. Le Cheval, lui aussi, vous comprend. Il ne vous sera peut-être pas aussi fidèle qu'un Chien, mais vous donnera de meilleurs conseils. Essayez un Cheval natif des Gémeaux, de la Balance ou du Sagittaire. Fuyez les Taureau et Lion/Chats, les Vierge et les Scorpion/Bœufs, les Taureau et les Scorpion/Chèvres — et partez en courant quand vous voyez un Taureau/Serpent. Vos intuitions se heurtent avec des résultats désastreux.

FAMILLE ET FOYER

Le Verseau/Tigre aura une demeure. Ce n'est pas parce qu'il aime le mouvement pour le mouvement qu'il n'a pas envie d'avoir un endroit à lui. Le décor sera simple et assez confortable, mais dépourvu de tout raffinement étudié. Vous verrez peut-être un coffre médiéval espagnol, ouvert pour vous laisser admirer la dernière platine à laser. Ou une cuisine ultra-moderne où des robots feront la cuisine pendant que notre Verseau/Tigre lira du Hegel assis dans sa dernière trouvaille : le fauteuil avec bar encastré. Quant aux vêtements, je dirais : sobres et classiques, à l'occasion, une touche de fantaisie.

Le parent du Verseau/Tigre n'est pas d'une patience d'ange pour le tapage des enfants. Ce sujet, s'il a jamais des enfants, les traitera en égaux. Il leur demandera de s'élever à son niveau, et ne descendra pas au leur. Pas de blabla et de guili-guili bêtifiants pour ces sujets. Ils respectent leurs enfants comme des adultes. Malheureusement, tous les petits n'apprécient pas d'être traités en adultes dès l'âge de trois ans.

L'enfant du Verseau/Tigre est impressionnant. Il ou elle aura un comportement bien défini. Aucun besoin de subterfuges quand on sait ce qu'on veut. Cet enfant s'intéresse à tout ce qui est nouveau. L'électronique et la science, la littérature moderne et toutes les nouvelles façons de faire de la bicyclette le captiveront. Quelle que soit l'éducation que vous lui donniez, essayez de lui faire comprendre la valeur de la sagesse et la sagesse de prendre conseil de gens plus expérimentés. Il ou elle essaiera toujours de s'opposer au système, avec des résultats et récompenses parfois fort intéressants.

PROFESSION

Inventif à l'extrême et doué d'un certain génie pour voir à travers les murs, le Verseau/Tigre réussira bien dans des emplois exigeant un point de vue différent sur de vieilles méthodes. Quoi qu'il entreprenne, il apportera à son travail le sens de l'innovation et des idées d'une audace exagérée. Une fois que ses folles inventions seront retouchées pour les rendre propres à la consommation et à la réalisation, elles pourront se révéler extraordinaires. Donnez à ce sujet un bureau ou un laboratoire bien à lui, et laissez-le expérimenter tout son saoul. L'argent ? Connais pas.

Le patron du Verseau/Tigre sera excentrique, erratique, et désagréablement changeant. Il aime les applaudissements et réagira bien à la flatterie. Employé, ce sujet sera brillant pour trouver des idées. Mais de neuf heures à cinq heures ? Je n'en suis pas sûre. Les Verseau/Tigres les plus heureux sont peut-être ceux qui travaillent en indépendants, appliquant à la création leur génie et leurs idées modernes.

Carrières convenant aux Verseau/Tigres : philosophe, écrivain, inventeur, coiffeur, dessinateur de mode, politicien, masseur, acupuncteur, programmeur d'ordinateur.

Verseau/Tigres célèbres : André Citroën, Georges Simenon, William Burroughs, Germaine Greert, Judy Blume.

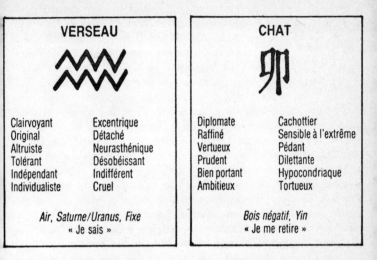

<table>
<tr><td colspan="2">VERSEAU</td><td colspan="2">CHAT</td></tr>
</table>

Clairvoyant	Excentrique	Diplomate	Cachottier
Original	Détaché	Raffiné	Sensible à l'extrême
Altruiste	Neurasthénique	Vertueux	Pédant
Tolérant	Désobéissant	Prudent	Dilettante
Indépendant	Indifférent	Bien portant	Hypocondriaque
Individualiste	Cruel	Ambitieux	Tortueux

Air, Saturne/Uranus, Fixe
« Je sais »

Bois négatif, Yin
« Je me retire »

Voilà l'intellectuel cent pour cent pur. Le Verseau/Chat accumule les connaissances rien que pour le plaisir. Il est curieux de tout et sans aucune discrimination, fait des études sur pratiquement toutes les personnes qu'il lui est donné de rencontrer. Aucune importance que le sujet soit ou non édifiant : le Verseau/Chat veut tout en connaître, jusqu'aux détails les plus sordides. Il est fasciné par la connaissance, les faits, l'information, le savoir, l'érudition — et l'expérience. Il ou elle passe sa vie à sauter de livre en livre, de musée en musée, de discipline en discipline. Savoir plus — voilà ce qui plaît aux Chats nés sous le signe du Verseau.

Ils ne sont pas particulièrement compétitifs dans leur quête de savoir. Le Verseau/Chat éprouve le besoin d'apprendre simplement pour le plaisir d'accumuler les faits. Toutefois, il ou elle a un côté suffisant qu'il ferait bien d'éliminer complètement. C'est très bien de savoir des tas de choses intéressantes, de citer des vers célèbres et même de réciter des scènes entières de Shakespeare. Mais l'érudition (et tout particulièrement celle des autres) peut être fameusement ennuyeuse. Le Verseau/Chat est enclin à la pédanterie. Quand il fait étalage de sa science jusqu'à la nausée, il peut devenir sérieusement irritant.

Mieux vaudrait appliquer ces connaissances à la vie pratique. L'usage concret de toute cette science devrait être son objectif. Mais c'est justement là que tout commence à se gâter. Ce sujet n'arrive pas à décider ce qu'il désire le plus dans la vie. Il est perpétuellement à la recherche de débouchés suffisamment vastes pour ses immenses banques d'informations. Le Verseau/Chat souffre d'une maladie que je baptiserai « l'embarras du choix ». Il peut faire pratiquement tout ce qu'il veut, de sorte qu'il ne sait jamais ce qu'il veut.

Ce sujet agit beaucoup sur intuitions. Il ou elle a une vision des autres très spécialisée et très subtile. Sa pénétration lui permet de repérer un défaut ou un besoin spécifique chez un autre. Ce don est peut-être le sous-produit de sa manie d'étudier toutes les personnes qu'il rencontre. Mais cela a quelque chose qui frise le surnaturel. Un Verseau/Chat vous dira : « Hé, tu ne m'avais pas dit que Jane et Frank divorçaient ! » Vous en restez bouche bée. C'était une information top-secret. « Comment le sais-tu ? » demandez-vous au Verseau/Chat qui attend en se léchant les moustaches. « Comme ça, j'ai deviné, c'est tout », répond-il avec le sourire du Chat de Cheshire.

Ce qui frappe chez les Verseau/Chats, c'est leur nature apparemment insouciante. Ces sujets semblent totalement dépourvus de regrets ou de complexes. Ils voyagent beaucoup et nouent des contacts avec une facilité déconcertante. Ils sont toujours en train de se faire de nouveaux amis et de chanter les louanges de Untel qui est parfaitement délicieux ou furieusement intéressant. Ils ont des amis à revendre. Mais en fait, ils sont assez conservateurs en profondeur, et se soucient de l'effet qu'ils font sur les autres. Le Verseau/Chat est d'esprit moins libre qu'il ne le croit.

Pour un Chat, le Verseau/Chat est aventureux. Il fait des choses dont un Chat normal ne voudrait pas entendre parler. Il adopte des hobbies bizarres, comme la pratique de la prestidigitation ou du flamenco. Il ne courtise pas le danger, non. Mais le mystère fascine facilement le Verseau/Chat. Si c'est insolite, il l'essaiera au moins une fois.

La qualité la plus frappante de ce sujet c'est son désir d'entreprendre des projets de grande envergure. Le Verseau/Chat ne s'imagine jamais dans un emploi subalterne et routinier, tuant le temps en attendant la retraite. Non. Les Verseau/Chats se voient en grands expérimentateurs qui surmontent les obstacles. Le Verseau/Chat est né pour s'élever au-dessus du troupeau. Il ne se donne même pas la peine de détester la médiocrité. Il ne sait pas ce que c'est. Il ne voit que les rands panoramas cosmiques, et laisse toutes les petites tracasseries de a vie à ceux qui ont des aspirations moins nobles.

AMOUR

Le Verseau/Chat voudra vivre en couple, dans le mariage et avec les enfants. Il recherchera sans doute un partenaire calme et raisonnable qui comprendra son besoin d'attention et de confort. Ces sujets fuient la dureté chez leur partenaire car ils n'aiment pas les conflits et les évitent à tout prix. Le Verseau/Chat est en quête d'un égal intellectuel qui saura s'amuser — une personne agréable et ouverte qui rira de ses plaisanteries.

Si vous avez choisi d'aimer un Verseau/Chat, tous mes vœux vous accompagnent. Ce sujet ne sera jamais ennuyeux. Parfois, vous aurez envie de tourner le bouton pour arrêter le flot incessant d'informations qui s'échappe de sa bouche. Mais dans l'ensemble, ce sujet est stable et combien respectable. Les Verseau/Chats sont également de caractère assez égal et pratiquement jamais névrosés.

COMPATIBILITÉS

VERSEAU/CHAT : C'est avec des partenaires du Bélier, Gémeaux, Balance ou Sagittaire/Cochon que vous serez le plus heureux. Le Bélier, Gémeaux, Balance et Sagittaire vous offrent aussi leurs Chèvres pour votre plaisir. Comptez aussi sur les Balance/Chiens. Les Taureau, Lion et Scorpion/Rats ne sont pas branchés sur votre longueur d'ondes. Les Taureau et Lion/Coqs ne vous remarquent jamais, ni vous eux. Et le Scorpion/Cheval poursuit son voyage, auquel vous ne participez pas.

FAMILLE ET FOYER

Pour ce sujet, le foyer est un endroit où lire confortablement et abriter intelligemment sa famille. Pratiquement tout est classique dans l'apparence extérieure du Verseau/Chat. Son décor sera raisonnable et raffiné, mais pas chargé ou tape-à-l'œil. Le Verseau/Chat est un signe de terre. Ce sujet aimera une ambiance douillette et propice à la conversation. Le Verseau né dans une année du Chat est un tantinet snob. Cherchez ses draps de chez Yves Saint-Laurent.

Le parent du Verseau/Chat est légèrement excentrique en ce sens qu'il voudra commencer l'instruction de ses enfants un peu trop tôt. Comme leur but est d'apprendre toujours davantage, ces natifs trouvent que les enfants, eux aussi, devraient tirer profit d'innombrables connaissances. Dans ce but, ils passent beaucoup de temps avec leurs petits, peinant sur des abécédaires et guidant pour écrire leurs petites mains potelées. Quant à la tendresse, le Verseau/Chat est un poil distant avec les enfants. Genre dans les nuages.

Le Chat né sous le signe du Verseau ne donne aucune peine à ses parents pourvu qu'il soit occupé vingt-quatre heures sur vingt-quatre. C'est un enfant brillant. Il faudra fournir d'amples nourritures à son esprit qui engouffre le savoir comme un aspirateur. Votre choix sera vaste. Il voudra peut-être apprendre le vaudou ou les hiéroglyphes. Préparez-vous à payer toutes les leçons particulières, je vous prie. Et surveillez son régime. Cet enfant aura tendance à grignoter en lisant tous ces bouquins.

PROFESSION

On ne peut attendre de ce sujet qu'il travaille dans un garage et aime ça. Je peux pratiquement vous garantir que le choix du Verseau/Chat se portera sur un emploi requérant d'abord l'usage de sa cervelle, et ensuite de ses muscles. Non que le Verseau/Chat soit précieux ou qu'il dédaigne le travail physique. Mais la répétition inlassable du même geste émousse les censeurs très vivaces de son esprit actif. Il recherche le challenge. Et qui plus est, il désire de l'argent — à foison. Ces sujets sont assez regardants et ne prodiguent pas leurs richesses aux autres. Quel que soit leur emploi, ils penseront souvent à l'échanger pour un autre, encore plus important et complexe.

Le Verseau/Chat est une autorité naturelle, mais ne prend pas sa situation au sérieux. Il ou elle ne sera pas du genre dominateur. Après tout, quand on est tellement extraordinaire, on n'a rien à prouver. Je ne veux pas dire que les Verseau/Chats sont hautains. Mais ils ont le sens de leur supériorité. Ils ne seront pas autoritaires, mais domineront par le seul fait de leur présence. Ces sujets font d'excellents employés pour des empires ayant besoin de rois et de reines, pour des gouvernements recherchant des chanceliers, et pour des services secrets en quête d'espion de premier ordre.

Carrières convenant aux Verseau/Chats : chef d'Etat, Premier minis- tre, historien, psychanalyste, politicien, romancier, agent double, artiste interprète (vedette uniquement), prédicateur, magnat du pétrole, armateur, professeur (fortune personnelle).

Verseau/Chats célèbres : Stendhal, James Michener, Tom Brokaw, Juliette Gréco.

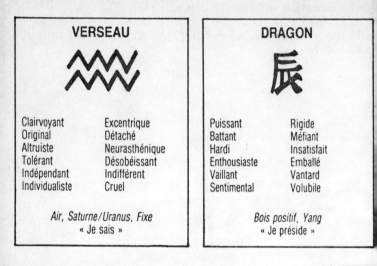

VERSEAU		DRAGON	
Clairvoyant	Excentrique	Puissant	Rigide
Original	Détaché	Battant	Méfiant
Altruiste	Neurasthénique	Hardi	Insatisfait
Tolérant	Désobéissant	Enthousiaste	Emballé
Indépendant	Indifférent	Vaillant	Vantard
Individualiste	Cruel	Sentimental	Volubile

Air, Saturne/Uranus, Fixe
« Je sais »

Bois positif, Yang
« Je préside »

« Je sais » et « je préside » traversaient le pont. L'un d'eux tomba dans la rivière. Lequel resta? C'est exactement ça! De quelque côté qu'on considère ce sujet, il sait ou il préside. Vous comprenez, le Verseau/Dragon prend toujours les choses en main. Rien ne peut l'arrêter, car il sait et il préside mieux que personne. Il a un allant soutenu. Quoi qu'il entreprenne, il le fera avec style et panache. Les Verseau/Dragons sont du genre « je-sais-tout », mais ne tiennent pas trop à le faire savoir. Ils sont centrés sur la famille et respectent les conventions sociales.

Ce sujet est à la fois entêté et inébranlable. Une fois qu'il a déclaré quelque chose, impossible de le faire changer d'avis. Les Verseau/Dragons s'entourent d'une aura de sévérité. Ils sont extrêmement diplomates, et s'abaisseront à n'importe quoi pour conquérir leur proie.

Les Verseau/Dragons veulent que les choses marchent à leur guise. Ils détestent la concurrence. Ils sont capables de bluffs gigantesques pour arriver à dominer les autres. Quand le Verseau/Dragon cherche des partisans, il fait feu de tout bois : poésie, humour, logique, charisme, bruit, faveurs, argent et ainsi de suite. Bien entendu, ce que j'appelle bluff peut être en réalité charme ou diplomatie, mais quel que soit le mot, ce sujet en utilise plusieurs tonnes par jour. Il met le paquet. Il est poli et s'exprime bien. Il est convenable et bien élevé. Franchement, je trouve qu'il en fait un peu trop. Mais on ne peut nier sa réussite éclatante.

Ce sujet est un organisateur. Il a l'esprit acéré et va droit au cœur du problème. D'autres Dragons plus impétueux manquent leur cible par trop de présomption. Le Dragon né sous le signe du Verseau n'a pas ce problème. Il garde la tête froide. Son air protecteur et son sincère désir de plaire attirent.

Avec tous ces glorieux avantages, le Verseau/Dragon est un inquiet. Extérieurement sociable, ce sujet se ronge intérieurement. L'avenir lui inspire quelque inquiétude. Il n'aime pas perdre le contrôle de la situation. En conséquence, tout ce qu'il n'a pas bien en main, parce qu'encore informe ou incertain, trouble ce sujet méfiant. Il peut même devenir hypernerveux ou névrosé si les événements échappent à sa sphère d'influence.

Cette appréhension lancinante peut avoir son utilité dans sa vie matérielle. Elle maintient le Verseau/Dragon en alerte. Mais dans le domaine du sentiment, cette impression de perte imminente panique notre héros et menace d'aller jusqu'à l'hystérie. Lorsque ses sentiments sont en jeu, le Verseau/Dragon perd son sang-froid en une fraction de seconde. Il est furieusement sentimental, et pas toujours sûr de sa place dans le cœur de la personne aimée. Son calme apparent lui sert à dissimuler la crainte irrationnelle de la solitude possible qui hante l'enfer intime du Verseau/Dragon. Il est incapable d'être seul.

Le Verseau/Dragon n'est jamais intentionnellement mesquin ou méchant. Son grand plaisir, c'est de servir de centre de contrôle. Il veut être mère, patron, chef, propriétaire, impresario, manager et ainsi de suite. Son but est de protéger et servir. Il ou elle veut voir les choses grandir, progresser, ou s'épanouir les éléments sur lesquels il exerce ce fameux contrôle. Comme le Dragon né sous le signe du Verseau n'est pas particulièrement créatif, son objectif en amour, en amitié et même dans le travail, c'est de faire progresser la situation. Ça lui est égal de diriger de la coulisse.

AMOUR

En amour, le Verseau/Dragon est impitoyable dans son désir de dominer. Il veut conquérir et conserver éternellement la personne aimée. Bien sûr, ce désir de domination sentimentale n'a rien de méchant ou mauvais. Le Verseau/Dragon veut aider celui ou celle qu'il aime. Le plaisir rendu rehausse l'image qu'il se fait de lui-même. Plus la personne aimée sera heureuse, plus le Verseau/Dragon sera content. Tendance potentielle à la jalousie aveugle.

Si vous deviez vous retrouver dans les serres de ce charmeur serviable de Verseau/Dragon, je vous conseille de ne jamais mentionner le nom d'un autre amant ou maîtresse possible en présence de cette âme fragile et incendiaire. La peur de vous perdre le torture d'angoisse. Ne jouez pas avec les cordes délicates de son cœur. N'oubliez pas que les Verseaux ne savent que penser. Ils ignorent comment s'y prendre avec les sentiments. De plus, le Verseau/Dragon recherchant quelqu'un de plus excentrique que lui, vous aurez toute latitude pour vous écarter des sentiers battus dans le domaine des idées, mais pas de déviations amoureuses.

COMPATIBILITÉS

VERSEAU/DRAGON : Vous avez plaisir à être en la compagnie des Bélier et Gémeaux/Tigres, et des Balance et Sagittaire/Rats. Les Gémeaux, Balance et Sagittaire/Singes vous fascinent et vous tiennent en alerte. Vous serez peut-être aussi attiré par un Bélier/Coq. Le quotient de réciprocité est assez bas, mais le jeu en vaut la chandelle. Les Taureau, Lion et Scorpion/Chiens ne sont pas de vos amis. Et les Taureau/Singes trouvent que vous êtes un trop grand challenge.

FAMILLE ET FOYER

La demeure du Verseau/Dragon tendra à favoriser le pratique aux dépens de l'esthétique. Bien que ce sujet soit sensible à la beauté et réagisse positivement à la création artistique, son décor ne sera pas nécessairement inspiré par la recherche de la beauté. Ce sujet est pratique. Les fours marcheront bien et les éviers seront vastes.

Comme ce sujet se sent très responsable de sa famille, il ne se contentera sans doute pas d'assister parents et fratrie, mais voudra aussi avoir des enfants à lui. Ces natifs sont des parents fiables, qui ont même un petit côté Pygmalion. N'étant pas créatifs eux-mêmes, ils souhaitent modeler les êtres humains comme s'ils étaient des poupées. Ils s'occupent parfaitement de leurs petits, s'inquiètent, s'agitent, cuisinent, cousent, travaillent, réconfortent, protègent, enseignent — et le reste ! Et tout cela, sans lésiner !

Les petits Verseau/Dragons sont passablement nerveux. Ils se soucient de leur avenir et s'inquiètent de la santé ou du bonheur de leurs parents. Ils se sentent personnellement responsables de beaucoup de choses qui arrivent dans la famille, et il faut les raisonner pour qu'ils n'en assument pas la responsabilité. Ils travaillent bien à l'école et sont très attachés à la solidité de la cellule familiale. Jeunes adultes, ils quittent souvent un temps la maison pour mettre à l'épreuve leurs secrets iconoclastes. Mais, chez le lucide Verseau/Dragon, la rébellion ne va jamais loin. Les parents ayant des enfants du Verseau/Dragon devraient y regarder à deux fois avant de divorcer. Les séparations sont dures pour les nerfs de cette âme aimante.

PROFESSION

Doué pour organiser n'importe quoi, que ce soit un bureau ou son travail personnel, le Verseau né dans une année du Dragon réussira bien dans pratiquement tous les emplois requérant équanimité et qualités de chef. Ce sujet manie l'argent avec intelligence et modération et sait accroître ses revenus par ses investissements. Générale-ment, c'est un étudiant sérieux, et il se lancera dans la vie assez jeune.

Le Verseau/Dragon est un patron-né. Les gens aiment et respectent ses opinions. N'oubliez pas qu'il est très diplomate. Il est péripatétique par nature, et peut travailler à son aise à différents échelons de la hiérarchie. Le Verseau/Dragon est destiné aux emplois de longue durée et aux engagements personnels. Il ne sera pas tenté de changer de carrière sur un coup de tête. Trouver un emploi ne pose aucun problème à ce sujet très recherché. Pour monter dans l'échelle hiérarchique, il acceptera de faire n'importe quoi — balayeur, dactylo, liftier... mais il ne restera pas longtemps dans un poste subalterne car on reconnaîtra très tôt ses talents supérieurs de cadre. Ces sujets ont souvent des promotions tous les deux ou trois ans.

Carrières convenant aux Verseau/Dragons : ménagère, agent de change, banquier, vice-président en charge des investissements, direc-teur de compagnie, directeur du personnel, administrateur hospitalier, libraire, écrivain.

Verseau/Dragons célèbres : S. J. Perleman, Ayn Rand, Roger Vadim, Roger Mudd, Neil Diamond, Placido Domingo, Stéphanie de Monaco, Smokey Robinson, Marcel Dassault, Françoise Dorin, Michel Gala-bru, Jeanne Moreau, Michel Serrault, Pierre Tchernia.

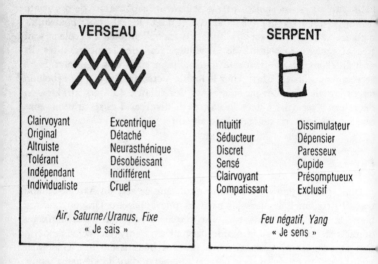

VERSEAU		SERPENT	
Clairvoyant	Excentrique	Intuitif	Dissimulateur
Original	Détaché	Séducteur	Dépensier
Altruiste	Neurasthénique	Discret	Paresseux
Tolérant	Désobéissant	Sensé	Cupide
Indépendant	Indifférent	Clairvoyant	Présomptueux
Individualiste	Cruel	Compatissant	Exclusif
Air, Saturne/Uranus, Fixe		*Feu négatif, Yang*	
« Je sais »		« Je sens »	

Ce sujet est un rayon de soleil et a la chance de posséder une pensée claire et une intuition d'une rare finesse. Cette personne tonique a les pieds fermement plantés sur terre et s'arrange pour toujours sourire. C'est un optimiste-né qui s'acharne à préserver cette image. Le Verseau/Serpent ne se soucie pas de désirer ce qu'il sait ne pouvoir obtenir. Mais il poursuit avec une grande avidité ceux de ses souhaits qu'il sait pouvoir réaliser. Autrement dit, le Serpent né sous le signe du Verseau est d'une lucidité stupéfiante. Il ou elle cherchera à séduire ou à conquérir les autres par pur plaisir. Mais avant d'essayer d'attirer ou de séduire, d'enchanter ou de charmer, il saura toujours à l'avance exactement quelles sont ses chances. Les Serpents nés sous le signe du Verseau ne jouent jamais perdant.

Bien sûr, cette assurance intérieure fait partie de son charme. Sa vie pleine d'événements d'une variété époustouflante n'est jamais dépourvue d'un certain baroque. Il essaye tout ce qui est nouveau, il saute de place en place comme le Père Noël apportant joie et bonté dans toutes les vies qu'il touche. Il n'est pas très généreux sur le plan matériel, et pas très intéressé par les biens tangibles. Le Verseau/Serpent ne se soucie pas du concret. En fait, il préfère ne rien posséder pour ne pas avoir un fil à la patte. La vie intérieure riche et sensuelle de ce sujet extrêmement charismatique se déroule sans interférences du dehors. Ses aventures et ses rêves, ses voyages et ses projets, se déroulent à l'intérieur de sa tête. Le Verseau/Serpent est le Walter Mitty du double zodiaque. Si quelqu'un la réprimande parce qu'elle est en retard et paresseuse, oublie les rendez-vous et mélange les faits, la native du Verseau/Serpent s'évade dans un voyage mental. Elle s'éloigne sur un nuage. Tandis que le réprimandeur continue à déblatérer, la native du Verseau/Serpent se dore au soleil imaginaire d'une île déserte — toute seule, sans la moindre compagnie ou interférence. Pour le Verseau/Serpent, le réel, c'est ce qu'il dit être réel. Le reste est littérature.

Ces sujets intelligents sont capables de travailler avec acharnement à des tâches difficiles et complexes. Ils peuvent réussir des expériences décisives et être créateurs dans le domaine artistique. Le Verseau/Serpent a l'imagination fertile et le sens infaillible de ce qu'il faut dire ou faire à un moment donné (non socialement, mais humainement).

Le Verseau/Serpent est le plus gentil de tous les Serpents. Il ou elle sera charitable et s'apitoiera sur les peines et les souffrances des autres. Il s'agit moins d'empathie que de sympathie et de la volonté d'aider dans le domaine pratique. Ils sont aimants et affectueux, généreux de leur temps et sincèrement bons. Non seulement ils recueillent chiens et enfants perdus, mais ils les soignent et les nourrissent aussi longtemps qu'il le faut. De plus, le lucide Verseau/Serpent sait se détacher de bonne grâce. Quand il a guéri l'aile cassée de l'oiseau et qu'il peut de nouveau voler, le Verseau/Serpent l'emmène dehors et le relâche. Il ne désire aucune récompense. Ni aucun remerciement, à part le plaisir qu'il tire d'un acte charitable. Ce Serpent ne recherche pas la gloire, les applaudissements, ou les citations pour héroïsme.

Le Verseau/Serpent est excentrique et légèrement choquant. Il ou elle aura une tendance certaine à l'irresponsabilité et devra sans cesse lutter contre sa paresse. N'oublions pas que tous les Serpents sont menteurs. Celui-ci ne mentira peut-être que dans l'intérêt des autres, mais les mensonges lui viendront facilement. Les mensonges, et la tentation de truander. Non qu'aucun grand criminel soit natif de ce signe. Mais la tentation de la marginalité est très forte.

AMOUR

Le Verseau/Serpent sait contrôler ses émotions par la raison froide et logique. Il est d'abord cérébral, ensuite intuitif, et enfin seulement il se permet de sentir. Le sentiment ne lui est pas d'importance capitale et ne prendra pas le pas sur sa raison. De plus, avec sa vie qui ressemble à une mosaïque, ce sujet ne peut s'empêcher de toujours courtiser plus d'une personne à la fois. Il ou elle sera assez volage, mais jaloux de son partenaire.

Si vous deviez aimer un Verseau/Serpent, permettez-moi de vous donner quelques conseils. Ne l'attachez jamais. Ne lui demandez pas de vous rendre compte du temps passé loin de vous. Ne lui donnez aucune information sur votre vie privée. Enveloppez-vous de secret et de mystère. Le Verseau/Serpent adore les énigmes. Maintenez-le dans l'incertitude, et il rampera derrière vous éternellement. Ne le faites jamais atterrir. C'est fatal. Il filerait comme une anguille et vous ne le reverriez jamais.

COMPATIBILITÉS

VERSEAU/SERPENT : Les Gémeaux, Balance et Sagittaire/Bœufs font pour vous les partenaires les plus sûrs. Sagesse et sang-froid figurant parmi vos plus hautes priorités, vous vous entendez bien avec le Bœuf. Les Bélier, Balance et Sagittaire/Coqs vous rendent un peu nerveux et inquiets. Mais ils sont amusants et vous aimez bien rire avec eux. Le Bélier/Chat peut être stimulant pour votre côté cultivé. Vous ne ferez pas long feu avec les Taureau, Lion ou Scorpion/Cochons. Ils jouent le même jeu que vous. Ennui. Les Taureau/Tigres et les Lion/Singes vous amusent, mais vous préférez la contemplation des étoiles aux activités terre à terre, et vous finirez par vous heurter.

FAMILLE ET FOYER

Le Verseau/Serpent ne se soucie guère de son intérieur. Il le veut fonctionnel et attrayant, mais il ne veut pas avoir à s'en occuper ou à s'inquiéter des cambriolages. C'est une nature cérébrale, pas une nature matérialiste. En revanche, ce sujet désire que les personnes qu'il aime et protège vivent confortablement. Il se mettra en quatre pour loger convenablement les siens, leur installera une baignoire dans leur chambre si ça les amuse, démolira des murs pour faire de la place pour une autre personne. Le Verseau/Serpent s'habille sexy et a un goût tape-à-l'œil.

La famille est tout pour ce sujet humain et autosacrificiel. Il s'occupera de ses vieux parents et visitera les maisons de retraite. Il emmènera ses enfants à la patinoire, au tennis, au cirque et en tout autre lieu intéressant imaginable, et attendra patiemment qu'ils aient fini de jouer. Ces natifs sont exagérément infatués de leurs enfants, mais parviennent à les faire obéir. Quel rêve merveilleux si toute leur famille était heureuse et en bonne santé! Les Verseau/Serpents feraient n'importe quoi pour que leurs rêves se réalisent.

L'enfant du Verseau/Serpent est proche de la perfection. L'unité de la famille est pour lui d'une importance capitale. Il sera joyeux, optimiste et mignon. Il faudrait développer et favoriser ses dons pour la philosophie et la métaphysique. Cet enfant a besoin d'une instruction solide et d'une vie familiale stable — sinon, il ou elle finira peut-être sur son île déserte fictive. Ces petits sont hyperimaginatifs et ont besoin d'amour et de réconfort. Sans cela, ils pourraient se laisser attirer par une vie de petite délinquance et de vice. Le caractère qui leur manque, il faut le leur imposer tendrement de l'extérieur, au moyen d'un code de comportement exigé par la famille et la vie à la maison.

PROFESSION

Généralement, les Verseau/Serpents sont brillants dans les domaines de l'imagination et de la philosophie. Ils sont aventureux et raisonnables. Ils se sentent libres à l'intérieur d'une structure. Comme ils sont curieux de tout et de plus à la fois artistes et manuels, il est peu de voies créatrices qui leur soient fermées.

Pour que le Verseau/Serpent accepte d'être patron d'une entreprise, petite ou grande, il faudrait user de persuasion. Ces sujets préfèrent agir dans la coulisse que sous le feu des projecteurs. Ils aiment manipuler les autres et jouer avec leurs émotions et leurs pensées, mais ils ne sont pas du tout autoritaires. Ils travailleront bien en groupe si nécessaire, mais ils ne révéleront que le moins possible de leur personnalité. Leur plus grande joie, c'est d'aider les autres. C'est seuls qu'ils travaillent le mieux, à leur propre rythme, tandis que leur imagination les emporte vers des pays tropicaux ignorés.

Carrières convenant aux Verseau/Serpents : assistante sociale, agent secret, avocat, diplomate, prédicateur, activiste politique, agent de voyage.

Verseau/Serpents célèbres : Abraham Lincoln, Charles Darwin, Chaim Potok, Carole King, Bertrand Poirot Delpech.

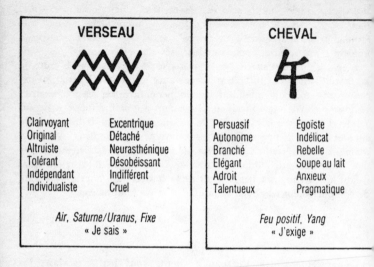

VERSEAU		CHEVAL	
Clairvoyant	Excentrique	Persuasif	Égoïste
Original	Détaché	Autonome	Indélicat
Altruiste	Neurasthénique	Branché	Rebelle
Tolérant	Désobéissant	Elégant	Soupe au lait
Indépendant	Indifférent	Adroit	Anxieux
Individualiste	Cruel	Talentueux	Pragmatique

Air, Saturne/Uranus, Fixe
« Je sais »

Feu positif, Yang
« J'exige »

Pour ce Verseau énergique et éveillé, la liberté, c'est le mouvement et la variété. Le Cheval prête un côté rebelle au lucide Verseau et le pousse à aller de l'avant. Les Chevaux agissent avec précipitation et réussissent facilement. Le Verseau veut une vie originale. Leur mariage produit un être excentrique et fugace. Le Verseau/Cheval ne fait jamais longtemps escale.

Ce sujet a une grande habileté manuelle. Toute tâche exigeant des doigts déliés est dans ses cordes. Il sait aussi se servir des mots et saura souvent plusieurs langues. Comme une de ses priorités est de voyager et de faire des expériences, il a vite fait de repérer un phénomène hors du commun et se lance, tête la première, dans l'exotisme.

Ce sujet aspire à tout ce qui est artistique. Il voudrait que le monde soit plus beau et meilleur, et consacre beaucoup de temps et de réflexion à essayer de l'améliorer. Le Verseau/Cheval est un citoyen actif et responsable, qui sait travailler à l'avènement des choses auxquelles il croit.

Et il croit en des projets excentriques. Elle pourra désirer qu'un ruisseau babillant traverse sa chambre à coucher. Il voudra posséder un immense château en Bulgarie, avec quarante chambres d'amis, pour ses fêtes et réceptions. Ce Verseau/Cheval est un rêveur, et il mijote des plans d'une telle ampleur qu'ils prennent toute une vie à réaliser. Aucune importance. Il les réalisera à son rythme — et de préférence de ses propres mains. Ce vaillant sujet ne se laisse pas démonter par ses vastes projets. Tout ce qu'il demande, c'est un peu de coopération. Et, naturellement, de l'argent.

La source de ses revenus, c'est fréquemment... les revenus de quelqu'un d'autre. Non que le Verseau/Cheval soit dépendant — loin de là. Mais le Verseau né dans une année du Cheval ne comprend pas pourquoi on pourrait lui refuser les fonds destinés à une organisation charitable pour les ménestrels errants. De plus, le Verseau/Cheval est l'un des signes les plus persuasifs. Il écoute... mais surtout il s'écoute. Ce qu'il veut, il l'aura. Sinon? Eh bien, il n'y a pas de « sinon ».

Ce sujet est essentiellement freelance. Il trouve idiots salaire et bureau de neuf à cinq. Ce qu'il veut, c'est le gros lot ou l'affaire de sa vie. S'il ne peut pas faire fortune, il préfère crever de faim — ou flâner. Le Verseau/Cheval est un penseur libéral qui s'intéresse sincèrement aux faibles et aux pauvres. Mais souvent l'arbre lui cache la forêt, et il finit par oublier jusqu'à l'arbre. De toute façon, le Verseau/Cheval est « toutouriéniste ». Ou bien il est là, armé de tous les faits, en train de faire un discours attrayant sur sa dernière passion, ou bien il est parti admirer le coucher du soleil en Malaisie.

Le Cheval né sous le signe du Verseau est aussi légèrement loufoque. Ses extravagances sont légion. Et comme le Verseau/Cheval est réellement visionnaire, il pourra souffrir d'une trop grande clairvoyance qui, mal employée, peut le mener à la folie. Mais en général, le Verseau/Cheval tire le meilleur parti de ses tendances excentriques. Le côté farfelu du Verseau donne de la légèreté à la nature trop pragmatique du Cheval. De son côté, le Cheval rend plus sociable le Verseau réservé et l'aide à atterrir sans danger après ses fréquents séjours dans les nuages.

Ce sujet mettra une touche de magie dans la vie de son entourage. Un Verseau/Cheval sait généralement rire de lui-même, et peut amuser soit intentionnellement, soit parce qu'il est incorrigiblement stupéfiant. Ce qu'on voit du Verseau/Cheval, ce n'est que le dixième de ce que renferme cette nature dense et fantaisiste.

AMOUR

En amour, le Verseau/Cheval croit fermement qu'il a toujours raison. Quand il aime, il trouve toujours suffisant ce que reçoit de lui la personne aimée. Ce sujet fuit les complications sentimentales. Dès le départ, il faut bien comprendre que le Verseau/Cheval porte la culotte, tire les ficelles et reste maître de la vitesse. Ou son partenaire accepte de se montrer assez flexible pour ne pas paniquer chaque fois que son Verseau/Cheval s'embarquera dans quelque nouvelle aventure (amoureuse ou non) ou bien il choisira un partenaire différent. La sentimentalité n'est pas le fort du Verseau/Cheval.

La difficulté à aimer un Verseau né dans une année du Cheval est impalpable. Ce sujet est merveilleusement fantaisiste et intéressant, et c'est tout ce qui doit compter pour qui est fou de ce loufoque. Si vous en pincez pour un Verseau/Cheval, regardez ses bons côtés. Vous ne pourrez pas le changer. Il ne faut surtout pas le harceler et l'asticoter. D'ailleurs, il restera parfaitement indifférent à tout ce que vous pourrez dire ou faire. Essayez simplement de garder la tête hors de l'eau — et appréciez ses bonnes qualités.

COMPATIBILITÉS

VERSEAU/CHEVAL : Les Gémeaux et Sagittaire/Chiens sont loyaux et ne perdent jamais le nord. Vous avez besoin d'un partenaire intelligent comme eux. Un Balance/Chèvre aura besoin de votre protection, et pour cette raison, vous attirera peut-être. Les Sagittaire/Tigres sont assez prometteurs pour vous. Ils sont si flexibles et indépendants ! Les Taureau, Lion et Scorpion/Rats ne figurent pas sur votre liste de possibilités sentimentales. Et ne vous liez pas à un Lion/Singe.

FAMILLE ET FOYER

Parlons de bohème ! La demeure de ce sujet sera un véritable musée d'objets trouvés et de styles excentriques. Le Verseau/Cheval est un collectionneur. Il voyage sans arrêt et rapporte tout le temps quelque babiole ou colifichet marchandé à un sikh dans un souk ou chipé dans la tente d'un sheik. C'est un feu d'artifice de couleurs. Réunissez le Verseau et le Cheval, et imaginez ce qu'il en sort dans le domaine vestimentaire. Faste, chic et panache. Voyez donc ces bottes d'équitation en cuir rouge, et l'écharpe imprimée artistement nouée à la ceinture de sa culotte de cheval ! Ouah !

Le Verseau/Cheval est peut-être fou, mais pas au point de vouloir des nuées d'enfants. Les familles nombreuses représentent un danger pour sa liberté de mouvement. Et ce sujet doit absolument bouger. S'il, ou elle, décide quand même d'avoir des descendants, ce sera souvent assez tard dans sa vie. Mais alors, attention ! Ce sujet peut s'enticher de ses devoirs de parent au point de devenir parfaitement ennuyeux. L'état parental est un challenge, mais considéré avec la passion et le potentiel extatique du Verseau/Cheval — ouah ! Mes enfants, si vous voulez vivre une enfance extraordinaire, choisissez-vous un de ces Papas ou Mamans merveilleusement farfelus. Oubliez les corvées ménagères et les heures strictes pour le coucher. Le parent du Verseau/Cheval est permissif, moderne, avant-gardiste, et absolument subjugué par le charme enfantin.

Cet enfant artiste amusera ses parents par ses blagues et ses tours originaux. Il sera très doué sur le plan artistique. Il préférera être gâté et chouchouté plutôt qu'obligé d'adhérer à des tas de règles idiotes. Il est persuasif et trouve des excuses remarquablement plausibles à ses lubies. Education et bonnes manières donneront du poli à son apparence. Sinon, il est peu de chose que vous puissiez faire pour lui, à part prodiguer votre attention à cet adorable petit.

PROFESSION

Tant de talent ne doit pas rester sans récompense. L'appât du gain ne joue pas un grand rôle dans sa vie. Le Verseau/Cheval n'est pas du genre à investir ni même à économiser. Il ne s'intéresse pas vraiment à l'argent, mais il sait qu'il lui en faut beaucoup pour réaliser ses projets excessivement dispendieux. Généralement, il n'a pas un « emploi » fixe, mais travaille dans un domaine marginal et lucratif qui lui permet de voyager en pays exotiques.

Le patron du Verseau/Cheval sera juste et régulier, mais très égocentrique. Vous pouvez compter qu'il arrivera tard au bureau et en repartira de bonne heure, tout en exigeant de vous la dernière exactitude, et des heures supplémentaires en plus. N'oubliez pas qu'il est un peu loufoque. Mais — ah ! — tellement intéressant. Et talentueux.

Ce sujet peut faire un bon employé pourvu que son patron le laisse partir en voyage toutes les trois ou quatre heures. Les talents du Verseau/Cheval sont intenses et fugaces. N'en user qu'avec modération.

Carrières convenant aux natifs du Verseau/Cheval : vedette de cinéma, photographe, interprète, rédacteur de discours, représentant de commerce, leveur de fonds, professeur de dessin, mercenaire.

Natifs du Verseau/Cheval célèbres : Franklin D. Roosevelt, Jack Benny, Claude Rich, Marthe Keller.

<table>
<tr><td colspan="2">

VERSEAU

</td><td colspan="2">

CHÈVRE

</td></tr>
<tr><td colspan="2" align="center">〰〰</td><td colspan="2" align="center">未</td></tr>
<tr><td>Clairvoyant</td><td>Excentrique</td><td>Inventif</td><td>Parasite</td></tr>
<tr><td>Original</td><td>Détaché</td><td>Sensible</td><td>Primesautier</td></tr>
<tr><td>Altruiste</td><td>Neurasthénique</td><td>Persévérant</td><td>Nonchalant</td></tr>
<tr><td>Tolérant</td><td>Désobéissant</td><td>Fantaisiste</td><td>Erratique</td></tr>
<tr><td>Indépendant</td><td>Indifférent</td><td>Courtois</td><td>Rêveur</td></tr>
<tr><td>Individualiste</td><td>Cruel</td><td>Bon goût</td><td>Pessimiste</td></tr>
<tr><td colspan="2" align="center">*Air, Saturne/Uranus, Fixe*
« Je sais »</td><td colspan="2" align="center">*Feu négatif, Yang*
« Je dépends »</td></tr>
</table>

Le Verseau épouse la Chèvre. Clarté et sensibilité, savoir et fantaisie. Ce solide mariage de signes complémentaires est riche de possibilités. Le Verseau apporte en dot l'indépendance à la Chèvre inconséquente dont la devise est : dépendance. La Chèvre apporte à cette alliance sa profondeur émotionnelle. Ce Verseau sera plus sensible que la plupart. Et la Chèvre bénéficiera d'une charge électrique d'authentique autonomie venant du Verseau. Ce sujet sera doué pour les projets futuristes, indifférent aux critiques de la société, et capable d'un individualisme exaspérant.

Le Verseau né dans une année de la Chèvre vit dans et pour l'instant. Ce qui se passe, c'est l'important — point final. Naturellement, une telle spontanéité est une épée à double tranchant. D'une part, la créativité de ce sujet se trouve valorisée. Aucun regret, aucune appréhension ne vient lui barrer la route de l'invention ou de la découverte. Pourtant, cette liberté débridée pousse parfois ce sujet à se mettre dans des pétrins qu'il aurait évités en réfléchissant quelques secondes. Le Verseau/Chèvre doit apprendre la prudence et la perspective. Sinon, ce goût exagéré du moment présent peut le faire dérailler.

L'avancement de ce sujet sera peut-être gêné par son penchant à la prodigalité. Le Verseau/Chèvre est généreux et ouvert. Il sera tenté d'accueillir pratiquement tout le monde dans sa vie, pour le pur plaisir de connaître des gens. En théorie, c'est très bien d'être aussi accueillant. Mais nous savons tous que le monde est plein de parasites et de sycophantes. Le Verseau/Chèvre est parfois victime des plus audacieux de cette race, et a du mal, parce qu'il est bon et sensible, à mettre le holà et à se débarrasser de ces ennuyeux casse-pieds.

Un sage Verseau/Chèvre reconnaîtra ses défauts et demandera conseil à sa famille ou à des personnes de l'extérieur. Ce sujet a besoin d'un cadre où il pourra développer ses théories et mettre en pratique son génie inné. La paix de l'esprit lui est indispensable, et il doit éviter interférences et distractions. Naturellement, l'isolement effraie cette âme fondamentalement grégaire, et il ou elle cherchera peut-être une ou deux fois à s'enfuir avant de se mettre au travail.

On accuse parfois ce charmeur d'être capricieux. Certains ne le trouvent pas sérieux parce qu'il semble léger comme l'air. Il est vrai que les Chèvres nées sous le signe du Verseau aiment s'amuser et faire le clown. Mais il ne s'agit là que de leur image publique. En fait, ces sujets sont, en secret, des bourreaux de travail. Ils peuvent vivre pendant des jours de pain et d'eau, sans remonter prendre de l'air à la surface, parce qu'ils travaillent vingt-quatre heures sur vingt-quatre à quelque création expérimentale improbable. Ils sont AUTRES. Ce sont d'authentiques artistes et visionnaires. Ils ne rêvent pas d'approbations et de compliments, mais prennent plaisir à faire ce qui les justifie.

Non content d'être innovateur et excentrique, le Verseau/Chèvre est également plein d'indulgence pour lui-même. Il ou elle peut sortir d'un tunnel après un travail acharné d'un mois ou plus, et plonger tête la première dans un amour passionné et idiot qui durera deux secondes et demie. Ou décider de manger à s'en rendre malade. Ils sont excessifs sans être attirés par les excès. La joie qu'ils trouvent dans ces excès vient davantage de l'inconscience et du caprice.

AMOUR

Dur-dur. Le pauvre Verseau/Chèvre semble n'avoir jamais assez d'amour. Ces sujets sont volages, pas besoin de donner et de recevoir du plaisir sans penser à l'avenir. Malheureusement, ces mœurs relâchées leur donnent mauvaise réputation. Il ou elle n'a pas même conscience du besoin de quelque chose d'aussi restrictif que la fidélité sexuelle. Pourquoi? Pour quoi faire? pense le Verseau/Chèvre, libre penseur devant l'Eternel. Pour ce sujet, aimer c'est partager l'instant.

Si vous aimez un de ces doux chéris, je comprends parfaitement votre dilemme. La meilleure chose à faire (et la seule) c'est de rester sur la touche et d'attendre le retour de votre Verseau/Chèvre. Si vous possédez la sagesse dont il a besoin, le Verseau/Chèvre vous sera reconnaissant de votre stabilité et de votre constance. Votre rôle consistera à nourrir son grand talent. Il est hors de question d'entrer en concurrence avec lui, mais en revanche, vous pourrez vivre votre vie sans crainte de sa désapprobation. Pour le Verseau/Chèvre, la liberté n'est pas une rue à sens unique.

COMPATIBILITÉS

VERSEAU/CHÈVRE : Vous trouverez vos favoris parmi les natifs du Chat. Cherchez votre Chat personnel dans les Gémeaux, la Balance et le Sagittaire. Ces mêmes signes vous offriront votre second choix en la personne riche et sensuelle du Cochon. Le Bélier/Cheval vous conviendra bien également. Congédiez les Taureau ou Lion/Bœufs, et ne badinez pas avec le bon naturel des Lion ou Scorpion/Chiens. Entre le Scorpion/Singe et vous, c'est sans espoir.

FAMILLE ET FOYER

Le Verseau/Chèvre est chez lui partout où il se sent bienvenu et à l'aise. Que la maison appartienne à lui, à sa famille ou à son partenaire, c'est tout un. Ce sujet peut s'établir n'importe où son caprice l'entraîne. Pour cette personne amoureuse de la beauté, le décor est aussi important que pour un autre. Mais s'il doit sortir choisir les tissus, puis mesurer et piquer les rideaux et vérifier leur tombé — oubliez-le. « Jette un châle sur la fenêtre, et couche-toi par terre sur ce matelas, chéri(e) », dira le Verseau/Chèvre « je-m'en-foutiste ». « Et pendant que tu es debout, passe-moi donc les cacahuètes. Je n'ai rien mangé depuis trois jours. »

Parent délicieux pour l'enfant moderne, le Verseau/Chèvre participera à toutes les activités de l'enfance avec énergie et cran. Comme ce sujet est spontané et ne se soucie guère d'approbation sociale, il s'intègre parfaitement au monde enfantin. Chez lui, le niveau de la discipline sera sans doute au-dessous de zéro. Mais qu'est-ce qu'on s'amuse !

L'enfant du Verseau/Chèvre devrait être très doué pour tout ce qui est artistique. Vous tirerez de grandes satisfactions de ses essais musicaux ou picturaux. Ces petits n'ont pas la notion du temps. Il faudra leur acheter plusieurs réveils si vous voulez qu'ils arrivent à l'école à l'heure.

PROFESSION

Ce sujet n'est pas pressé de réaliser quoi que ce soit. Il défie les conventions et se soucie de la routine comme d'une guigne. Il est légèrement avide, mais cela ne favorise pas chez lui l'ambition. Ce qui intéresse le Verseau/Chèvre, c'est ce qui se passe en ce moment dans sa zone sensible.

Les métiers artistiques et para-artistiques sont les plus indiqués. Mais quoi qu'il fasse, il ne fera que le minimum exigé par la structure dans laquelle il travaillera. Ces sujets ne sont pas des leaders. Et ils ne sont pas non plus très bons suiveurs. Mettez du vent dans leurs voiles.

Je ne vois pas cette personne commandant qui que ce soit sérieusement. Le temps d'une aventure, ces sujets peuvent assumer le rôle de leader ou de figure d'autorité. Mais le cœur n'y est pas. Comme pour tout ce qu'ils font, si ça leur plaît et satisfait leur besoin de plaisir, ces sujets prendront volontiers le commandement. Ils sont capables mais capricieux. Pour avoir un employé du Verseau/Chèvre, il faut au moins être un Lion/Dragon. Le Verseau/Chèvre réagit bien à la force.

Carrières possibles pour le Verseau/Chèvre : artiste, dessinateur de mode, décorateur, dessinateur industriel, potier, critique d'art, illustrateur, animateur, étalagiste, concepteur de jouets, inventeur, musicien, acteur, actrice.

Verseau/Chèvres célèbres : Thomas Edison, Stéphane Grappelli, Robert Hersant, Louis Féraud, Serge Lama.

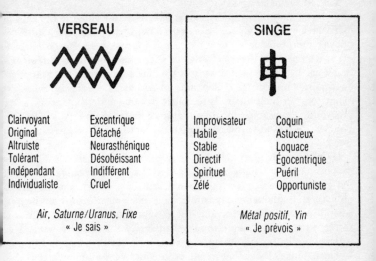

VERSEAU		SINGE	
Clairvoyant	Excentrique	Improvisateur	Coquin
Original	Détaché	Habile	Astucieux
Altruiste	Neurasthénique	Stable	Loquace
Tolérant	Désobéissant	Directif	Égocentrique
Indépendant	Indifférent	Spirituel	Puéril
Individualiste	Cruel	Zélé	Opportuniste

Air, Saturne/Uranus. Fixe
« Je sais »

Métal positif, Yin
« Je prévois »

L'union du Verseau et du Singe donne naissance à une personne d'envergure et de profondeur exceptionnelles. Le détachement naturel du Verseau aide le Singe à forger sa destinée sans sentimentalité encombrante ou émotion déplacée. Le Singe donne un solide sens de la réalité au Verseau visionnaire, et l'aide à rendre justice au présent. L'alliance est harmonieuse et prometteuse.

Il ou elle sera d'un verbalisme agressif. Les mots sont le véhicule de cet esprit clair. Un petit air révolutionnaire, ou tout au moins une grande sensibilité aux percées et changements sociaux colore toutes les créations du Verseau/Singe. Il ou elle choisira peut-être d'exercer un pouvoir sur les autres, mais dans ce cas, l'objectif ne sera jamais le pouvoir en soi. Le Verseau/Singe cherche plutôt à conduire ou conseiller, à juger ou guider ses frères humains vers un monde plus parfait où la vérité aura plus souvent l'antenne que le mensonge.

La méthode de base du Verseau/Singe consiste à se concentrer intensément sur le comportement humain, qu'il soit réel ou fictif, et à synthétiser les événements sous forme digestible. Son idéal, c'est la vraisemblance. Au moyen de sa vision personnelle originale, il voudrait si bien reproduire la vie réelle que tout le monde puisse en tirer un enseignement sur soi-même. L'histoire, la littérature, le droit, le journalisme et le cinéma sont tous des véhicules possibles pour l'immense talent de ce sujet.

La clarté naturelle du Verseau et le brillant du Singe se donnent la main dans ce signe. Ce sont des natifs forts, travailleurs, qui aspirent à réaliser l'improbable — et y parviennent souvent. Et ils sont éclectiques. Un poète du Verseau/Singe ne se cantonne pas nécessairement à la poésie. Il ou elle peut aussi très bien faire les plans d'un gratte-ciel ou posséder un élevage d'éléphants en Afrique. Le Verseau/Singe est avant tout un réalisateur. Il se soucie davantage de son travail et du progrès de l'humanité que de son aisance matérielle ou de la célébrité. Pourvu qu'il soit professionnellement actif, le Verseau-Singe est satisfait.

De plus, ce sujet est zélé. Or, le zèle prend dans certains signes les proportions d'un fanatisme. Mais pas ici. Le Verseau/Singe reste cool. S'il est industrieux, c'est parce qu'il veut faire entrer plus de choses qu'il n'est humainement possible dans une journée de huit heures. Aussi le Verseau-Singe travaille-t-il souvent douze heures par jour. « Il se tue au travail », caquette sa belle-mère. « Elle mourra jeune à ce rythme », s'inquiète l'amant angoissé. « Et alors ? pense le filiforme Verseau/Singe. J'aurai au moins exposé mes vues au monde et réalisé mes objectifs. » La réalisation de ses objectifs, c'est toute la vie du Verseau/Singe.

De naissance, ce sujet est d'esprit aventureux. Il prend des risques. Il n'a pas peur de rêver ou de projeter de grands exploits. Il a fondamentalement confiance en lui et est d'une grande intégrité personnelle. Les Verseau/Singes sont sages et doués. Qui plus est, ils sont nobles, et leur dignité impressionne amis et ennemis. Ce sont des tacticiens astucieux qui préfèrent toujours s'arranger à l'amiable que s'opposer de front à l'adversaire, dans un procès ou un duel.

AMOUR

Ce sujet essaye inconsciemment de ne pas s'emberlificoter dans des complexités sentimentales. Normalement, le Verseau/Singe évite les bourbiers de toutes natures. N'oublions pas qu'il est lucide. Et centré sur la réalisation. Bien entendu, il a besoin d'amour et cherchera un partenaire pour partager ses fardeaux comme ses joies. Mais ce sujet ne considère généralement pas la passion comme une panacée. Il n'a pas besoin de l'exaltation d'un grand amour pour survivre et se sentir bien dans sa peau. Le Verseau/Singe est infidèle. Rien que pour s'amuser.

Il ou elle attendra d'un partenaire qu'il s'occupe du confort et de l'intendance. Le Verseau/Singe, ingénieux et affairé, adore la beauté, mais, chez un partenaire, il s'intéresse davantage à la qualité qu'au physique. Son choix d'un amant ou d'une maîtresse, d'un mari ou d'une épouse dépendra invariablement de la qualité du partenaire potentiel en tant que personne — et non en tant qu'objet. Le Verseau/Singe a besoin d'aide. Si vous en aimez un, assistez-le, soyez discret, et apprenez à marcher sur la pointe des pieds quand votre génie travaille.

COMPATIBILITÉS

VERSEAU/SINGE : Les Gémeaux, Balance et Sagittaire/Rats s'accordent bien à vos besoins émotionnels. Les Bélier, Balance, Scorpion et Sagittaire/Dragons vous motivent aussi et répondront sérieusement à vos questions sérieuses. Les Taureau, Lion ou même les Scorpion/Cochons ne vous exciteront pas. Vos objectifs sont opposés. Les Taureau et Lion/Tigres vous agacent avec leur suffisance. Les Scorpion/Serpents peuvent vous attirer, mais votre tournure d'esprit ne les retiendra pas.

FAMILLE ET FOYER

La demeure d'un Verseau/Singe sera rationnelle, utile et sans prétention. L'environnement de ce sujet reflète généralement sa personnalité, et est solide sans être traditionnel. Dans son décor, le moderne et le pratique auront sa préférence. Sa garde-robe sera d'une élégance bienséante mais jamais voyante. Généralement, ce sujet ne ressent pas le besoin d'impressionner. Et dans le cas contraire ? C'est sans doute le signe que sa carrière est en péril.

Le parent du Verseau/Singe apporte sincérité et sérieux à sa tâche. Il ou elle aura de hautes aspirations pour ses enfants et voudra enseigner aux petits à utiliser sagement leurs talents. C'est une personne patiente, qui aidera le petit Lucas à mettre ses skis et la petite Barbara à ôter son anorak et ses jambières quand elle sortira de l'école. Pourtant, le parent du Verseau/Singe est peu démonstratif et pas très cajoleur. C'est par la parole qu'il ou elle communiquera le mieux avec ses enfants.

Cet enfant est un cadeau. Ses nombreux talents et ses multiples curiosités se manifesteront très tôt dans sa vie. A l'école, tout devrait aller comme sur des roulettes (sauf, bien entendu, si les professeurs ne permettent pas au petit Verseau/Singe de montrer à quel point il est exceptionnel). Comme il est loin d'être poltron ou même malléable, il sera peut-être un peu désobéissant. La maturité de ses idées étonnera les adultes. Il n'exploitera pas outrageusement l'amour de Papa ou Maman. Le Verseau/Singe est un brave petit.

PROFESSION

Ce sujet est essentiellement cérébral. Je ne le vois pas en commerçant ou même en fonctionnaire. Il est trop révolutionnaire pour accepter le conformisme de bonne grâce. Indépendant, le Verseau/Singe s'attelle à ses propres projets rationnellement, sollicitant des fonds de sources extérieures et les utilisant sagement pour être sûr de trouver des prêteurs la prochaine fois.

Le Verseau/Singe fait un excellent patron. Il est agréable, et employés, assistants, etc., respecteront les vues et les créations de cette intéressante personne. Employé, le Verseau/Singe en donnera scrupuleusement pour son argent à son patron. Il sera peut-être un peu rebelle à la longue et voudra s'installer à son compte. Avec le don qu'il a pour concevoir de vastes projets de nature très personnelle, ce désir d'indépendance n'a rien d'étonnant.

Carrières convenant aux Verseau/Singes : toutes celles faisant appel au mot ou à la parole : écrivain (romancier, scénariste, poète, parolier, journaliste, auteur dramatique), réalisateur de cinéma, directeur de théâtre, acteur ou actrice, orateur, juge ou avocat.

Verseau/Singes célèbres : Charles Dickens, Learned Hand, Anton Tchekhov, François Truffaut, Milos Forman, Gay Talese, Carl Bernstein, Angela Davis, Alice Walker.

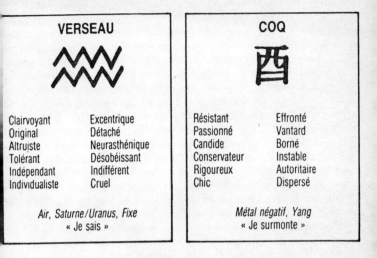

VERSEAU	
Clairvoyant	Excentrique
Original	Détaché
Altruiste	Neurasthénique
Tolérant	Désobéissant
Indépendant	Indifférent
Individualiste	Cruel

Air, Saturne/Uranus, Fixe
« Je sais »

COQ	
Résistant	Effronté
Passionné	Vantard
Candide	Borné
Conservateur	Instable
Rigoureux	Autoritaire
Chic	Dispersé

Métal négatif, Yang
« Je surmonte »

Premièrement, le Verseau né dans une année du Coq réussira souvent. Et secondement, il échouera fréquemment. L'alternance de chance et de malchance constitue toujours la vie d'un Coq, quel que soit le signe sous lequel il est né. Toutefois (et c'est un toutefois de taille), le Verseau réservé et inconventionnel, le Verseau, signe de l'amour fraternel et de la bonne volonté générale, possède exactement la qualité qu'attendait le Coq pour lui éviter de passer des années à gratter la terre à la recherche d'un vermisseau avant le retour de la chance. Les Verseau sont des visionnaires lucides dont le détachement même, bien que parfois exaspérant, sauve le Coq.

Emotionnellement, ce sujet ne s'attache jamais trop à la bonne fortune. Quelque chose lui dit que la seule chose permanente dans la vie, c'est le changement. Le Verseau/Coq se garde bien d'investir son âme dans aucun de ses milliers de projets et plans, qu'ils soient sentimentaux, artistiques ou mercantiles. Le Verseau né dans une année du Coq comprend la nature éphémère du bonheur. Oh, il ou elle poussera quelques cocoricos quand tout ira bien, et se plaindra amèrement en période de vaches maigres. Mais il y a toujours quelque chose en lui qui dément sa résignation. Quelque chose qui vous dit qu'il ou elle n'a jamais cru à toutes ces sottises sur le bonheur.

Non que le Verseau/Coq soit un blasé qui considère la vie en haussant les épaules. Loin de là. Ce sujet est généralement de dispositions joyeuses et personnifie l'enthousiasme et l'engagement. Mais grattez un peu la surface. Ses cicatrices sont habilement cachées sous ses vêtements coquets et ses accessoires chic. Le désenchantement du Verseau/Coq se camoufle peut-être sous des roses, mais il est là.

L'amour des apparences du Coq est en guerre avec l'altruisme du Verseau. L'ennui, c'est que le Coq est têtu et ne veut pas renoncer aux signes extérieurs de réussite. N'oubliez pas que le Coq s'enchante de tout ce qui est extérieur, et ne recherche guère la vérité ou la compréhension. Les Coqs veulent agir, c'est tout. Ce pauvre vieux Verseau, lucide, clairvoyant et boy-scout, n'a pas une chance dans la peau d'un Coq conservateur et crâneur. Quand le Verseau enfonce le bouton de la fraternité, le Coq étroit d'esprit accourt en fanfare pour l'avertir : « Tu es fou ? Ne laisse pas entrer ces dingues. En un clin d'œil, la maison va être pleine de hippies et de fanatiques ! » Et vlan ! Autant pour l'altruisme du Verseau.

Finalement, le Verseau conclut un armistice avec le côté querelleur et autoritaire de sa nature de Coq, et essaye de se contenter de conférer une certaine humanité aux efforts successifs du Coq pour réussir. Ces deux signes sont francs et candides. Le Verseau/Coq a beaucoup de bagou et sait très bien s'en servir.

Dans la vie, ce sujet n'est jamais victime que de lui-même. Comme il est éveillé et lucide, il connaît ses défauts. Mais il peut devenir névrosé s'il refuse de regarder la vérité en face. Et regarder la vérité en face n'est pas son fort. Ces sujets aiment dorer la pilule, raviver le brillant d'une image ternie, et vont même jusqu'à faire semblant de croire que ce qui existe pour les autres ne les concerne pas. Suis-je en train de dire que le Verseau/Coq est un peu truand sur les bords ? Oui. Précisément. Le Verseau/Coq dissimule la vérité pour se protéger. Il peut essayer de tourner un peu la loi, ou seulement de manipuler un règlement de temps en temps. Mais le démon de la tentation est toujours présent. Les Verseau/Coqs traitent cavalièrement la vérité et la plient à leurs besoins.

Le Verseau/Coq est quelque peu vieux jeu et traditionaliste. Il est tout le temps tiraillé par la société et la coutume. Il est tourmenté par un mélange de culpabilité et de mensonge. Il est astucieux et rusé, mais il ne veut pas que quiconque s'en aperçoive — et lui moins que personne.

AMOUR

Le Coq né sous le signe du Verseau est si fantastique et fabuleux qu'on l'imagine fiancé à quelque merveilleuse et exaltante créature, qui fait l'envie de ses amis moins aventureux. Mais ne vous y trompez pas. Le Verseau/Coq ne s'engagera jamais dans une liaison amoureuse à moins qu'elle ne lui promette un gain sentimental ou financier, professionnel ou même spirituel. Le Verseau/Coq aimerait qu'on s'occupe bien de lui à la maison, pour pouvoir sortir commander le monde et gagner des montagnes d'argent. Ce sujet sera séduisant et prendra grand soin de son physique.

Si l'un de ces fringants personnages vous a complètement tourné la tête et que vous le lui montrez trop, il deviendra peut-être indifférent. Le Verseau/Coq aime la résistance. Il se peut qu'il ne l'admette pas, mais le type esclave soumis l'ennuie. Si vous voulez conquérir et conserver l'amour de ce sujet fascinant, soyez exigeant. Insistez pour avoir la première place. Tapez du pied, et continuez tant que vous n'avez pas obtenu ce que vous désirez. Soyez extérieurement doux et gentil, et intérieurement inflexible.

COMPATIBILITÉS

VERSEAU/COQ : Les Serpents font d'excellents faire-valoir pour les Verseau/Coqs. Vous trouverez vraisemblablement le vôtre parmi les natifs du Bélier, des Gémeaux, de la Balance ou du Sagittaire. Les Bœufs aussi vous plaisent et vous donnent l'impression d'être intégrés. Essayez les Bœufs nés sous les signes des Gémeaux, de la Balance ou du Sagittaire. Pour vous, les partenaires insuffisants et médiocres rôdent dans les camps des Taureau, Lion et Scorpion/Chats. Evitez-les. Le Taureau/Cochon ne vous donnera rien, si ce n'est du fil à retordre.

FAMILLE ET FOYER

La demeure du Verseau/Coq est fort importante pour son image de marque. Elle sera sans aucun doute située dans un quartier tranquille et résidentiel. Ce sujet aime l'épate et cela se verra dans son décor. Mais il est également conventionnel. Son intérieur paraîtra sage, sans aucun bric-à-brac avant-gardiste pour encombrer son horizon. Le foyer d'un Verseau/Coq est sa forteresse. On n'y « passe » pas à l'improviste pour profiter de l'abondance qui y règne.

Le parent du Verseau/Coq aime passionnément ses enfants, mais n'a guère de goût pour laver les petits derrières ou jouer les chauffeurs de taxi pour les emmener à la maternelle. Il n'est pas du genre à bêtifier avec ses enfants. En revanche, il s'intéressera beaucoup au développement et à l'évolution de ses rejetons qu'il surveillera avec curiosité, excité à l'idée que la petite Lisa ou Bébé Mathieu pourrait devenir vedette de cinéma ou programmateur de radio. Il aidera ses enfants, mais ne veut pas avoir à laver les couches.

L'enfant du Verseau/Coq est désobéissant et suscite souvent bien des ennuis à ses parents. Il lui faut plus que sa part d'attention, sinon, il y a des problèmes. Cet enfant sera brillant et charmant, mais difficile à élever. Discipline et punitions ne serviront à rien pour résoudre le problème de base, à savoir son immense besoin de l'affection et de l'attention de ses parents. Si vous envisagez une famille nombreuse, n'ayez pas un enfant du Verseau/Coq. Ce petit fonctionne mieux lorsqu'il est enfant unique, ou avec un jumeau.

PROFESSION

Le Verseau/Coq a la parole facile. Et elle lui attire des succès garantis. Il sera persuasif et convaincant, généreux et aimable. Le Verseau/Coq est toujours légèrement paresseux et négligent pour les démarches administratives, déclarations de revenus, etc. Il a besoin d'être aiguillonné pour se mettre au travail, car il a également l'habitude de ne rien se refuser, attitude qui lui inspire ensuite des regrets torturants. Toutes les carrières sont ouvertes à ce sujet intelligent et volontaire. Vous pouvez être sûr qu'il aura trouvé le moyen de réussir avant de mourir. Réussir, telle est la passion du Verseau/Coq.

Patron, le Verseau/Coq sera agréable quoiqu'un peu exigeant. Ce sujet n'hésite pas à dire à ses subordonnés ce qu'ils ont à faire, et a le don remarquable de leur faire croire qu'ils s'amusent en lui rendant service. Ces sujets sont un tantinet suffisants et ont tendance à faire étalage de leur pouvoir si on les laisse faire. Employé, ce natif n'est guère accommodant. Il discute les méthodes de travail et préfère utiliser les siennes. Mais sa personnalité est un avantage. Elégant et condescendant, il plaît à tous. Donnez-lui un doigt, il prendra tout le bras. Mais quelle importance ? Il est si gentil. Et tellement compétent.

Carrières convenant aux Verseau/Coqs : entrepreneur, manager de campagne publicitaire, avocat, politicien, écrivain, compositeur.

Verseau/Coqs célèbres : Colette, André Cayatte, Susan Sontag, Yoko Ono, Eddie Barclay, Costa-Gavras, Edith Cresson.

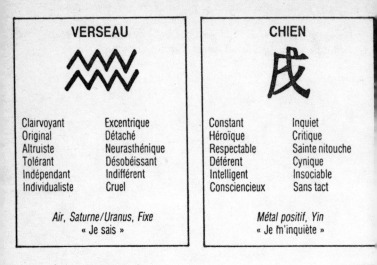

VERSEAU	
Clairvoyant	Excentrique
Original	Détaché
Altruiste	Neurasthénique
Tolérant	Désobéissant
Indépendant	Indifférent
Individualiste	Cruel

Air, Saturne/Uranus, Fixe
« Je sais »

CHIEN	
Constant	Inquiet
Héroïque	Critique
Respectable	Sainte nitouche
Déférent	Cynique
Intelligent	Insociable
Consciencieux	Sans tact

Métal positif, Yin
« Je m'inquiète »

Ce Verseau est un chien de la race des saint-bernard. Il règle toutes les affaires courantes. Elle donne un coup de main, tient la main des affligés et réconforte les malheureux. Mais avec tout cet amour apparemment désintéressé et toutes ces activités philanthropiques, le Verseau/Chien a grand soin de ne pas s'oublier. Il peut être autoritaire et avide de pouvoir, et, qui plus est, ne se gêne, pas pour masquer ses ambitions sous le voile de la charité. Il gagne peut-être un million de dollars par an, mais comme c'est au service d'une bonne cause, ou pour enseigner quelque chose aux gens ou leur apporter plaisir et distraction, pourquoi ne vivrait-il pas dans un luxe ébouriffant ?

Curieux mélange que celui du clair Verseau et du Chien irascible. La langue est toujours plus acérée que le cœur n'est bon. Le désir de réussite personnelle est très fort. La respectabilité du Chien se voit compromise par le désir du Verseau de faire passer son individualisme avant tout. Le Chien né sous le signe du Verseau peut très bien être bon, serviable et capable de prendre des risques pour un ami. Mais il gardera néanmoins l'œil fixé sur le beignet, et non sur le trou. L'esprit missionnaire de ce sujet ne surgit pas tout casqué de sentiments humanitaires.

Le linge sale des autres lui donne le frisson. Il ou elle recherche la compagnie des gens qui ont besoin d'aide. Ils partent en chasse de situations émotionnelles embrouillées dans lesquelles leur courage et leur volonté sont mis à l'épreuve. Ils adorent donner des conseils et exprimer leurs opinions. Les Verseau/Chiens sont bruyants et impudents. Ils se lancent à la poursuite de ce qu'ils désirent, et n'ont pas peur de saisir l'avantage quand il se présente. Ils peuvent être impétueux et cruels.

Le Chien est enclin au cynisme. Il est critique et querelleur. Il est d'un moralisme confinant à la suffisance. Mais c'est un inquiet. L'angoisse est sa seconde nature. Mais voilà que paraît le Verseau. Il veut aider le Chien, lui donner sa chance, lui apprendre à rester cool et à ne pas plonger tête la première dans l'anxiété. « Détache-toi de cette angoisse matérialiste, mon vieux. Libère ton esprit par la philosopnie, comprends ta sensibilité, laisse-toi porter par le courant de tes complexités, accepte-toi tel que tu es. » Le Chien s'éclaire. Peut-être est-il vraiment aussi extraordinaire que sa nature de Verseau voudrait le lui faire croire ? Peut-être n'a-t-il pas à tant s'inquiéter ? Peut-être peut-il se contenter de rester cool ? Alors, il essaye. Il s'envole dans la stratosphère, et se met à faire dans la lucidité et la clairvoyance. Mais vlan ! Son ulcère recommence à se manifester. A-t-il vraiment attaqué cette femme qui lui a marché sur le pied au supermarché ? « Oh, mon Dieu ! Qu'est-ce que les gens vont penser ? Qu'ai-je fait ? »

Tu n'as rien fait de nouveau. Tu n'as fait que montrer ta nature normale, rude, dure et abrasive, Toutou. Rien d'inquiétant là-dedans. Mais tu t'inquiètes.

Le Verseau/Chien combat la névrose par la productivité. Ce sujet est un véritable bourreau de travail. Il ou elle est énergique, bien que quelque peu sporadique, et constamment en mouvement. Il est essentiellement instable, et adore défaire les nœuds compliqués dans lesquels il s'est empêtré lui-même. Il a trop de franchise et pas assez de tact. C'est un arriviste qui se soucie de l'approbation de ses contemporains. Bien qu'il gémisse souvent sur l'injustice criante de la vie, il est le premier à tirer parti de la situation. Son humour sera pince sans rire et satirique.

AMOUR

Comme les récriminations divertissent ce sujet et que les embarras attirent comme un aimant son côté Bon Samaritain, le Verseau/Chien s'embarque souvent dans des amours pleines de complications intrinsèques. Ces natifs entament une liaison avec une personne mariée, la convainquent de divorcer, et annoncent ensuite qu'ils sont eux-mêmes en puissance d'époux ou d'épouse. Ou bien ils épousent un partenaire qu'ils veulent sauver de l'alcoolisme, échouent dans leur entreprise et, pleins d'amertume, passent ensuite leur vie à se plaindre. Ils recherchent leur propre intérêt, mais par des voies très complexes. Ils sont fidèles par nature, mais s'ils se trouvent mariés à trois personnes en même temps, on ne peut leur demander des miracles.

Si vous aimez un de ces déconcertants toutous, il se pourrait que vous soyez vous-même un peu « timbré ». Les Verseau/Chiens sont sacrément séduisants, j'en conviens. Mais ils recherchent les gens dérangés. Si vous êtes désespérément normal, oubliez cette personne. Mais si vous pouvez devenir toxicomane du jour au lendemain, faire semblant d'entendre des voix provenant de votre balcon, vous serez pratiquement irrésistible pour le Verseau/Chien. De toute façon, à moins que vous n'aimiez pas les scènes, vous seriez prié de jurer allégeance éternelle aux idéaux farfelus de votre Verseau/Chien.

COMPATIBILITÉS

VERSEAU/CHIEN : Vous ferez mouche avec les Bélier, Gémeaux et Sagittaire/Tigres. Ne soyez pas timides. Vous leur plaisez vraiment. Vous attirez aussi le Cheval natif des Gémeaux, de la Balance et du Sagittaire. L'assistance de votre esprit raisonnable est nécessaire aux Bélier/Rats. Vous apprécierez la compagnie des Balance et Sagittaire/Chats. Ne sautez pas dans les bras d'un Taureau, Lion ou Scorpion/Dragon. Vous n'y seriez pas à votre aise. Les Lion/Chèvres et Coqs ne vous conviennent pas non plus.

FAMILLE ET FOYER

Le Verseau/Chien moyen a au moins deux demeures séparées. Ces sujets adorent la variété et vivent dans des endroits spectaculaires et à la mode. Ils ont des goûts somptueux et croient fermement à l'utilité des grandes serviettes près de la piscine et des fleurs sur le piano à queue. Et ils n'ont rien contre les tapis où l'on enfonce jusqu'à la cheville. Curieux, mais rien de l'abstinence des autres Chiens n'a déteint sur celui-là. Le Verseau/Chien aime que ses pantoufles et sa pipe lui soient apportées par son valet de pied. Il dépense beaucoup pour son standing.

Le parent du Verseau/Chien est distant et pourtant sentimental avec ses enfants. Bien sûr, il est toujours affairé ou en voyage, de sorte qu'il n'a guère de temps à consacrer à ses petits dans la vie journalière. Mais l'idée d'un pique-nique, d'un dîner de famille, ou d'une grande fête familiale pour le 14 juillet lui fait battre le cœur et remuer la queue. Toutes ses ex-femmes peuvent venir, avec leurs maris et leurs nouveaux enfants. Après tout, on est bon ou on ne l'est pas. Et le Verseau/Chien est sincèrement bon.

Cet enfant sera étrangement déconnecté de la foule. Il ou elle semble porter tout le poids du monde sur ses épaules. Ces petits sont généralement frêles et d'une sensibilité d'écorchés. Ils pleurent facilement et sont naturellement timides. Ils lisent beaucoup et s'inquiètent de même. La sécurité est ultra-importante pour cet enfant nerveux. Surprises et changements soudains lui déplairont. Prenez-le par la douceur et les caresses. Sinon, vous pourriez vous retrouver avec un petit rebelle névrosé sur les bras.

PROFESSION

Le Verseau/Chien, comme la plupart des Verseau, préfère travailler seul. Il n'aura pas peur de prendre les rênes dans le travail. Ce sujet est doué pour la déduction et sera un excellent travailleur social. Il est résolument moderne, et regrette sincèrement que le monde ne soit pas meilleur. C'est lorsqu'il est libre d'imposer sa propre discipline qu'il travaille le mieux.

Si on lui accorde de l'autorité, ce sujet prend stoïquement les choses en main. Il ou elle promet d'être cassant et d'aboyer un ordre à la minute. Son bureau est un one man show. Aucun besoin de commentaire ou d'avis, merci. On est prié de s'abstenir de toute ingérence. Le Verseau/Chien peut être employé par les autres, mais il a besoin de se sentir utile et de jouir d'une certaine autonomie. Sinon, il fait la moue, il boude, et, éventuellement, il s'en va.

Carrières convenant aux Verseau/Chiens : pêcheur, éleveur de bétail, travailleur social, médecin, écrivain, rédacteur en chef, éditeur, ingénieur du son, psychiatre ou psychologue, enseignant, pasteur.

Verseau/Chiens célèbres : Bertolt Brecht, Norman Mailer, Helen Gurley Brown, Zsa Zsa Gabor, John Anderson, Alan Bates, Frédéric Rossif.

<table>
<tr><td colspan="2">

VERSEAU

</td><td colspan="2">

COCHON

</td></tr>
<tr>
<td>Clairvoyant
Original
Altruiste
Tolérant
Indépendant
Individualiste</td>
<td>Excentrique
Détaché
Neurasthénique
Désobéissant
Indifférent
Cruel</td>
<td>Scrupuleux
Courageux
Sincère
Voluptueux
Cultivé
Honnête</td>
<td>Crédule
Coléreux
Hésitant
Matérialiste
Épicurien
Entêté</td>
</tr>
<tr>
<td colspan="2">Air, Saturne/Uranus, Fixe
« Je sais »</td>
<td colspan="2">Eau négative, Yin
« Je civilise »</td>
</tr>
</table>

L'alliance du Verseau et du Cochon donne à ce sujet une impudence confinant à la bêtise. Le Cochon, naturellement pastoral et rustique, imite peut-être la franchise ouverte du Verseau. Ou peut-être est-ce le Verseau qui reçoit du Cochon trop de dispositions à la franchise et devient trop direct. Mais quel que soit le mécanisme, ce sujet est hardi et intrépide.

Plus que tout autre, ce Verseau sera enclin aux crises gigantesques de rage et d'indignation. Généralement, le Verseau est de nature tolérante et détachée, il préfère laisser la confrontation s'éloigner un peu avant d'y réagir. Mais avec l'adjonction du Cochon belliqueux, il devient franchement belligérant. Le Cochon lui donne toute son impulsivité et sa force pour définir ses ambitions. Le Verseau/Cochon est un individu résolu qui veut arriver dans la vie. Le Verseau ne connaît pas de limites. Ce sujet est une force de la nature, dynamique et lucide, à la fois chevaleresque et coléreux, dont la vision n'est déformée que par le sens exagéré qu'il a de sa propre importance.

Malgré ces dispositions égocentriques, le Verseau né dans une année du Cochon a beaucoup d'amis. Il est un peu gaffeur, les gens aiment rire de ses étourderies et de ses sottises, et ont l'impression de participer à ses blagues et à ses joyeusetés. D'un charme et d'une force communicatifs, le Verseau/Cochon sait retenir l'attention d'un auditoire. Comme le Cochon né sous le signe du Verseau est à la fois dominateur et aimable, il peut s'attendre à aller loin dans la vie. Ce sujet a tout ce qu'il faut pour être un gagnant. Mais s'il ne devait pas vaincre et triompher... Dieu nous préserve! Les Verseau/Cochons sont de mauvais perdants.

L'ego gigantesque du Verseau/Cochon lui donne quelque chose de la Diva. Jusqu'au port et à la démarche qui cherchent à être majestueux. «Attention!» dit le Verseau/Cochon, roulant agressivement les épaules. «J'arrive. Impossible de m'arrêter.» Pas comme un poids lourd ou un bulldozer — mais plutôt comme le petit Cochon de la fable, soufflé de vanité, qui, dressé sur ses pattes de derrière, s'avance en se rengorgeant vers le palais du roi, en culotte de course de satin écarlate, et avec une couronne d'or cavalièrement de travers sur la tête. La grandeur, plus la touche populiste.

Le hic quand il dirige ou gouverne, et bien qu'il adore la gloire et les applaudissements, se délecte aux flatteries et se vautre dans le succès, c'est qu'il ne peut se retenir de sermonner les masses. Bientôt, les masses en ont assez d'écouter ses sermons, se fatiguent de ses gloussements de satisfaction, n'ont plus envie de baiser l'ourlet de sa culotte de course, et réclament un nouveau roi.

«Par ma barbe, s'écrie le monarque maintenant plein de suffisance, d'un seul souffle, je démolirai votre maison.» Ce qu'il fait souvent.

Mais assez de contes de fées. Le côté cool du Verseau sauve ce sujet des excès du Cochon. Il est autoritaire mais aimable et joyeux (quand il n'est pas en colère). Il a besoin de direction et sait prendre conseil de plus sages que lui. Les Verseau/Cochons sont un peu inconstants par nature et doivent être maintenus sur le droit chemin par des influences extérieures.

Avant tout, les Verseau/Cochons sont d'un charisme agressif. Ils savent attirer et séduire les foules. Ils sont casse-cou, mais uniquement en vue du gain. Ils sont toujours plus prospères qu'ils ne le paraissent. Ils sont fascinants et capables de lancer des modes d'envergure universelle.

AMOUR

Le Verseau/Cochon sait avoir l'air d'aimer : c'est un don. Il sera caressant et démonstratif. Il vous tapote la tête et vous embrasse dans le cou. Mais n'attendez pas de lui une fidélité éternelle ou cinquante ans d'autosacrifice. Non, non. Le Verseau/Cochon vous chuchote à l'oreille comme il est sensuel. Et si vous vous retrouvez au lit avec lui, il

ou elle se met à vous raconter son dernier coup sur la cendrée ou a
bureau. Les Verseau/Cochons sont assez forts pour le baratin.

Si vous aimez un Verseau/Cochon, préparez-vous à l'aider, à l
soutenir, et à jouer les factotums. Ce sujet ne tient pas à être assujetti à
la passion. Il faudra l'entourer de tendresse et l'écouter patiemment
Les Verseau/Cochons ne sont pas spécialement attentifs à ce qu
disent les autres. Essayez de mettre le feu à leur culotte de cours
écarlate.

COMPATIBILITÉS

VERSEAU/COCHON : Vous êtes du genre à choisir des Chats et des
Chèvres comme partenaires. Ils sont naturels et prudents, sexy e
discrets. Essayez les Chats et les Chèvres nés sous les signes du Bélier
des Gémeaux, de la Balance et du Sagittaire. Si vous ne trouvez pas
votre vie parmi eux, voyez du côté d'un Bélier/Tigre. Vous avez des
tas de choses à vous dire. Les Taureau, Lion ou Scorpion/Serpents
sont l'opposé de tout ce que vous représentez (bien qu'étant fameusement séduisants, j'en conviens.) Le Taureau/Cheval ne fait rien pour
votre image, lui non plus.

FAMILLE ET FOYER

La demeure de notre Verseau/Cochon sera opulente et vaste —
comme un palais — pour s'accorder à ses ambitions grandioses. Il lui
faudra une pièce similaire à une salle du trône (appelons-la son
bureau) avec des tas de téléphones pour les « réunions importantes ».
Avant tout, ce sujet voudra vivre dans le confort et la culture, et aura le
doigté pour créer un décor luxueux tout en conservant une agréable
atmosphère campagnarde. Le Verseau/Cochon n'est pas fou des
grandes métropoles. Mais noblesse oblige.

Les rapports du Verseau/Cochon avec les enfants sont plutôt plus
autoritaires qu'il n'est recommandable. N'oubliez pas que ce sujet est
la plupart du temps préoccupé par son avancement. Il laissera en
grande partie à son partenaire le soin d'élever les petits. Puis, si la
situation se détériore, on appelle le Verseau/Cochon en consultation.
Ce sujet n'est pas assez chaleureux pour la foule et les enfants à la fois.
Il choisit généralement la foule.

Cet enfant a des inspirations inimaginables. Il ou elle saura
entreprendre des tâches et persévérer dans des entreprises très

difficiles, exigeant une énorme concentration et un travail acharné. Sans aucun doute, il ou elle aimera les sports. Cet enfant sera populaire auprès de ses camarades, qu'il saura bien commander... personne ne sortira du rang. Cet enfant aimera se câliner et se pelotonner dans les bras de ses parents, mais il ou elle pense sans cesse à son avenir.

PROFESSION

Question idiote. Le Verseau/Cochon est prédestiné à l'avancement professionnel. Il ou elle désire beaucoup d'argent et retournera ciel et terre pour acquérir richesse et pouvoir. Ce sujet donne le mieux sa mesure quand il est stimulé par une décision à prendre ou par une promotion éventuelle. C'est dans le domaine professionnel que les capacités visionnaires du Verseau/Rat sont le moins nébuleuses. Il sait ce qu'il veut et réalise en un clin d'œil comment l'obtenir.

Le Verseau/Cochon est toujours patron. Même s'il ou elle est employé, domestique, subordonné ou extra, ce ne sera jamais pour longtemps. Bien sûr, s'il pense que la soumission et l'obéissance lui vaudront de l'avancement, le Verseau/Cochon se précipitera sur la montagne de vaisselle et la lavera plus vite que personne. Ce sujet n'a pas peur d'affecter un temps l'humilité pour arriver. Son rêve, c'est la gloire et la richesse. Regardez la poussière qu'il soulève en avançant.

Carrières convenant aux Verseau/Cochons : pape, roi, champion, vedette de cinéma, diva, président, Premier ministre, et tous les postes de cadres supérieurs et de hauts fonctionnaires.

Verseau/Cochons célèbres : Ronald Reagan, John McEnroe, Sonny Bono, Mikhaïl Barischnikoff, René Barjavel, Michel Sardou.

Achevé d'imprimer en novembre 1990
sur les presses de l'Imprimerie Bussière
à Saint-Amand (Cher)
pour les éditions Robert Laffont